劉福春・李怡 主編

民國文學珍稀文獻集成

第三輯

新詩舊集影印叢編　第101冊

【王獨清卷】

獨清詩文選集

廈門：世界文藝書社 1929 年 9 月出版

王獨清 著

煆煉

上海：光華書局 1932 年 6 月初版

王獨清 著

零亂章

上海：樂華圖書公司 1933 年 8 月初版

王獨清 著

花木蘭文化事業有限公司

國家圖書館出版品預行編目資料

獨清詩文選集／煅煉／零亂章／王獨清　著 — 初版 — 新北市：花
木蘭文化事業有限公司，2021〔民 110〕

134 面／52 面／68 面；19 ×26 公分

（民國文學珍稀文獻集成・第三輯・新詩舊集影印叢編　第 101 冊）

ISBN 978-986-518-473-5（套書精裝）

831.8　　　　　　　　　　　　　　　　　　　10010193

ISBN-978-986-518-473-5

民國文學珍稀文獻集成 ・ 第三輯 ・ 新詩舊集影印叢編（86-120 冊）
第 101 冊

獨清詩文選集
煅煉
零亂章

著　　者　王獨清
主　　編　劉福春、李怡
企　　劃　四川大學中國詩歌研究院
　　　　　四川大學大文學學派
總 編 輯　杜潔祥
副總編輯　楊嘉樂
編　　輯　許郁翎、張雅淋、潘玟靜　美術編輯　陳逸婷
出　　版　花木蘭文化事業有限公司
社　　長　高小娟
聯絡地址　235 新北市中和區中安街七二號十三樓
　　　　　電話：02-2923-1455 ／傳真：02-2923-1452
網　　址　http://www.huamulan.tw 信箱 service@huamulans.com
印　　刷　普羅文化出版廣告事業
初　　版　2021 年 8 月
定　　價　第三輯 86-120 冊（精裝）新台幣 88,000 元　　　版權所有・請勿翻印

獨清詩文選集

王獨清 著

世界文藝書社（廈門）一九二九年九月出版。
原書三十二開。影印所用底本封面缺。

獨文清詩選集

1929， 9， 10， 付版

1929， 9， 20， 出版

1——1000 冊

版 權 所 有

實 價 大 洋 五 角

總 發 行 所

福 建

廈 門 中 山 路

編 譯 所

廈 門 思 明 南 路

世界文藝書社股份有限公司

大北電報掛號一九五五

電 話 三 九 三

獨清詩文選集

目　次

目　次

—— 2 ——

我飄泊在巴黎街上

我飄泊在巴黎街上，
踐着夕陽淺淡的黃光。
但是沒有一個人知道，
我心中很難治的痛瘡！

我飄泊在巴黎街上，
任風在我底耳旁苦叫·
我邁開我浪人的腳步，
踏過了一條條的石橋。

— **1** —

我飄泊在巴黎街上

這一條條的石橋，都在橋腳荇河水，
　　河水是滿滿地泛着暗綠；
橋上的喧聲，是正作着夜色底晚鐘，
　　披倦地向水上散落，蕩浮。

噢！一年一年地，時間只是往前狂奔，
　　橋上行人也儘管換替！
然而橋總是歐豎青鐵欄，又堅又穩，
　　水總是照常打着舊堤！

多少悠揚的音樂，多少清婉的歌唱，
　　和多少光恥辱，悲哀，自殺，
都在這負着近代文明城市的河旁，
　　在這河旁來裝點着繁華。

是的，過兒清婉的歌唱，悠揚的音樂

—— 2 ——

我飄泊在巴黎街上

是送了昨天,又送着今天!
這兒底人們是只在專想夢求歡樂,
每天裏就這樣自己催眠!

但是,那些耻辱,悲哀,却總不會停止,
只見在破着城市底甜蜜。
自殺也是不肯休息:失了名的死屍
連續地向這河中來沈積。

那麼,河,你是,用你這極流着的波瀾,
常常着那寡言般的靜夜,
在招誘那些突然幻想滅了的青年,
那些或老或少的失望者!

那麼,河,你是,把那些在文明城市裏
不能夠存在的生命,骨骸,

—— 3 ——

我飄泊在巴黎街上

不能夠用出去的,誠實的感情,眼淚,
　　時時地收沒,時時地掩埋!・・・

噢!所有的紀功坊,表彰名人的雕像,
　　都矗立路旁,不搖不動!
國葬院底圓頂,誇耀着龐大的形狀,
　　總是驕傲地高聳在空中!

夕陽是已經在把薄影慢慢地退隱,
　　隔河的景色都入了模糊;
只有風還帶着激憤的,愁人的聲音,
　　來掃着一切的建築,房屋。

我飄泊在巴黎街上,
　　只聽得風不住的苦叫?
我放開我浪人的腳步,

—— 4 ——

我飄泊在巴黎街上

踏遍了河水上的石橋。

我飄泊在巴黎街上，
伴着黃昏鬱結的黯光。
但是終久沒有人知道：
我心中有最大的痛瘡！

失望的哀歌

唉，太陽拖着夕暮的光輝，
涼風開始了愁人的號吹！
我在這高欄的橋上凝立，
懷帶着一種傷感的迷惑。
唉，人生正像是這片河水，
過去的那些奔流的波迹
　　是再也不回！

是的，使過去的生命再回，誰也不能！

—— 6 ——

失望的哀歌

不管是歡樂，悲哀，不管是友誼，愛情，
不管是沈醉，希望，非常溫柔的心境，
不管是寶貴的眼淚和誠意的誓盟！

但是我不是享受過最可愛的時間！
我不是有永遠地不能忘記的紀念！
　　唉，回憶罷！唉，回憶罷！
　　在這憔悴般的夕照下，
我願以病瘁的心向沈夢中去安眠！

哦！一個溫和而早暖的春天，一個溫和而早暖的
　　春天，
只有我和她，對坐在一所幽靜的廣軒。
被陽光射滿了的窗屏在半開，半掩，
那沒有塵埃的庭地都是 mosaique 的花磚。
她披着件單薄的長衣，色澤很是素淡，

—— 7 ——

失 望 的 哀 歌

越顯得她臉兒蒼白，瘦弱，可憐；

像病了一樣的，她略露着怯懦，

不曾梳理的黑髮蓬鬆在她潔淨的額間。

一個作畫的樓架放在她底當面，

她用她那可愛的右手描着我底容顏；

她描好幾筆，便轉過她動人的眼兒來把我一看，

看過後，又舉起手兒去在樓架上細描一番。

此時只有和諧的沉默把四圍占據，

我覺得，這世界上除我和她以外，一切都像是早

　　已消失。

我覺得她是高貴而莊重，却沒有一點兒虛驕的

　　氣質；

我覺得她有嫵媚的姿態，雖然是不曾修飾。

我覺得我已改變了生活，再不像是個勞苦的浪

　　子；

我覺得我今生最愛的是她，並且，是為了她我總

失望的哀歌

在這世界上寄居！

我陷入了陶醉的境狀，就這樣無言地和她對坐，

任她不停地看我，不停地描我，——作着她那麼

　　美的工作。

我就這樣無言地和她對坐，她就不停地作着她

　　底工作，

一直到窗屏上的陽光快要沉沒，

她纔放下了筆兒，帶着工作後的煩悶，

無氣力地在做着她嬌困的欠伸；

我走向前去扶着她慢慢地起立，我底鬢磨着了

　　她底膩鬢，

我底手觸着了她底纖手，我底肩和她底柔肩相

　　親，

我們都倚在窗邊，——窗外有薔薇的棚架，

又有茂盛的丁香，滿開着紫色的繁花，

微風由 marronniers 底頂上緩緩落下，

—— **9** ——

失望的哀歎

攜着些輕冷，來吹動她底黑髮。

只有我和她，倚在窗邊，送着陽光淡紅的薄影，

此時除了那些樹枝顫抖的響聲，再沒有別的喧
　　聲。

她忽然把頭兒靠到了我底胸前。好像耐不住那
　　使人的輕冷，

哦，就這樣！我們是漸漸地，漸漸地隱在了黃昏
　　之中●●●

　　　　嗳，真可追想的那些可愛的時間！

　　　　嗳，永遠地不能忘記的那些紀念！

　　　　　我伏着橋上的高欄，

　　　　　凝望着水上的綠漣。

　　　　　回憶罷！回憶罷！

　　　　　我願我底心呀，

　　　　　就儘管這樣在沈夢中安眠！

　　　　　　── 10 ──

失望的哀歌

她底眉兒是怎樣的表示着她純潔的性格！

她底唇兒是怎樣的泛着那嬌潤的顏色！

她底臉龐是那樣的秀媚，美好！

她底身裁是那樣的端莊，窈窕！

她底裝束又是何等的優雅，孤獨；

那淡清的頸巾，那薄黑的衣服！

她雖然是像有說不多的憂愁，失意，

常借她本來穩重的態度，守着厭煩多言的靜默，

但是那傷害年青的，悲苦的痕迹，

却一點也不冒上她姣嫩而白晰的前額！

她底眼兒雖然是不肯向人多看，

常矜持地下垂，好像含羞一般，

但是她那傳達着情緒的眼臉，

怎能掩住她眼兒裏的明淨，新鮮！

她底頭髮和她底衣服是一樣的色澤，但却更要

　　濃厚，光滑；

失望的哀歌

她嬌弱的雙肩，又像勝不起她衣服底輕鬆；
沒有一種音響像她聲兒那樣使人感得甜蜜；
沒有一種動搖像她步兒那樣能把人引得癡迷；
她底淺顰能教人發見她委致是分外娟妙；
她底微笑能誘人證出她底精神確是清高——
啊，她那清高的精神！啊，她那清高的精神！
她底舉動是無處不流露着大方，溫存！
並且她那不施脂粉的素頰，不多整理的鬆鬢，
使人一見便知道，她從來不用無聊的修飾去消
　　耗光陰！

　　唉，真可追想的那些可愛的時間！
　　唉，永遠地不能忘記的那些紀念！
　　我伏着橋上的高欄，
　　凝望着水上的綠漣。
　　回憶罷！回憶罷！

— 12 —

失望的哀歌

我願我的心呀，

就儘管這樣在沈夢中安眠！

哦！使我最不能忘記的是那一早晨，

她很匆忙地走進了我在等著她的那個 Salon 底

　　寬門。

她是還穿著她長裙的寢衣，還沒有顧得梳裝，整

　　頓：

她底黑髮還散披在肩頭，她蒼白的頰上還帶著

　　睡痕！

她纔看見了我，便奔向前來，用她半裸的兩臂抱

　　住我底項頸，

仰起她底臉兒在向我訴說，但却哽咽得不能成

　　聲；

她底眼兒在漲著熱淚，她底胸兒在起著鼓動，

她那不能抑止的感情，竟使她失了平日裏的鎮

失戀的哀歌

靜，從容！

她在斷續的向我訴說，她說她是犯了罪過，

她說她從此要謝絕一切人生的快樂；

她說她明知道不應該在那樣的環境中愛我，

但她自主的能力，她克制的意識，却都完全被我
　　收沒；

她說為免除各人底煩惱，困難，

她只好讓我遠去，不敢强我再在她底身邊留連，

若是將來有一天，有一天我要和她再見，

那便請我不要忘記了，以後她底住所是最幽靜
　　的坟園！•••

哦！她儘管向我訴說，任熱淚把她底臉兒浸洗，

她酥軟的胸兒是跳動得更促更急。

她底悲苦純然是真誠底流露，沒有一點兒假意。

她是怎樣的倒在了 Canape 之上，幾乎，幾乎窒
　　閉了呼吸！

—— 14 ——

失望的哀歌

哦！只有她，纔能觸動我深奧的靈魂！

哦！只有她，纔是我真正的愛人！

我瘋了一般的抱住她，在她冰冷的額兒上狂吻，

她額兒上駡我出的那屑薄汗，直沁痛了，沁痛了

　　　我底內心 • • •

那一早晨是暴風像要把樹木吹折，

斜雨濕遍了寂寞而嚴寒的長街，

我低着頭走下了那個莊園門前的白滑的石塔，

途與我一生唯一可戀的，一生唯一可戀的寓所，

　　　作了最後的告別。

　　唉，過去的生命怎麼就這樣在失望中消亡？

　　所餘留的卻僅僅是一個結在心上的病將！

　　但是她底容貌，言語，到死也留在我底心

　　上，

　　　　雖然我是再不能靠近她底身旁！

—— **15** ——

失望的哀歌

現在四面都已經入了沉默，

河水底顏色也變成了黯黑。

停止罷，我底沈夢！

爆裂罷，我底哀痛！

那些紀念，

那些紀念，

已把我底心湧滿：

我願我底全身呀，

快到地下

去作永遠的安眠！

— 16 —

動身歸國的時候

昨夜我作了一個奇怪的夢。

我回到了巳死的世紀，我故國底巳死的世紀——我看見了治水的大禹，我見了三千門徒圍着的孔子，我看見了在江邊行吟的屈原，並且我看見了建造萬里長城的那些不留姓名的大匠⋯⋯

哦，天是那樣的清！風是那樣的温⋯⋯

哦！好偉大的山！好壯麗的河！⋯⋯

我底靈魂充滿了榮耀的陶醉，我底肺部漲

17

動 身 歸 國 的 時 候

滿了自傲的呼吸，我把身子浸在那潔淨的陽光中，受着健全的空氣底愛撫。

● ● ● ● ● ● ● ● ● ● ● ● ● ● ● ● ● ● ●

但是，甚麼！甚麼！怎麼突然是一片荒墳？怎麼突然是望不盡的焦土？怎麼我底耳旁忽變成了可怕的寂靜？怎麼我底腳下全是些枯骨，死屍？甚麼！甚麼！甚麼！● ● ●

昨夜我作了這樣一個奇怪的夢。

啊啊，今早我由夢中醒了轉來，我身上的神經纖維全像是在被烈火焚燒，我底兩眼像是得了 epiphora，並且像一個狂人似的，我用我握得很緊的拳頭猛搥着我自己底胸膛，我喊叫，喊叫，啊啊！我底心都幾幾乎跳到了我底口裏● ● ●

我纔發見了我底罪惡，纔發見了我懶惰的

動 身 歸 國 的 時 候

罪惡自私的罪惡——這兒不是我應該久留的地
方,唉,去罷!去罷!···

去罷!還在這兒迷戀甚麼熱愛的情婦!
去罷!還在這兒沉湎甚麼芳烈的醇酒!
去罷!還在這兒居住甚麼華美的房屋!
去罷!還在這兒信託甚麼誠意的朋友!

怪可憐的,怪可憐的是我在這兒濫用了
   的感情!
怪可憐的,怪可憐的是我在這兒浪費了
   的聰明!
怪可憐的,怪可憐的是我在這兒丟棄了
   的青春!
怪可憐的,怪可憐的是我在這兒失掉了
   的真心!

—— 19 ——

動身歸國的時候

唉！我在這兒，在這兒儘管把我自己斷送着！•••

我就忘記了我底來歷，我就忘記了我底出生地，我就忘記了我是一個有故國的人。

——哦，我，我是一個中國人呀！

我是中國人！

那兒，是往日產文明的舊土，

有過英雄，豪傑捨身，流血，

有過詩人，志士高歌，痛哭•••

我是中國人！

那兒，有歷史要和地球同滅：

出過能創造時代的天才，

出過苦心救人類的聖者•••

—— **20** ——

動身歸國的時候

啊，我是中國人，光榮總在我靈魂中
存在，
我應該紀念過去，
還應該掉傷現在，並且更應該希望
未來！

啊，我是中國人，不應該求甚麼幸
福，安寧：
還是迅速地歸去，
去揮我能流的眼淚，作我能知道的
犧牲！

是的，現在我底故國却是快要變成火後的
廢墟了。那兒已經失了溫暖的白晝，那兒已經失
了柔和的黑夜，那兒已經失了潔淨的晴天底藍
色●●●──是的，現在我底故國却是快要變

動身歸國的時候

嗷火礦的廢墟了。

　　唉，還是歸去，歸去！我歸去，那怕僅僅是為去到那兒人們中間作一種無意識的哭喊，那怕僅僅是為去到那兒看護一個最不重要的受傷的人，那怕僅僅是為去到那兒抱一抱從前認識或不認識的一架已朽的骨骸•••

　　我，沒有能力的我，只會和故國底人們一同受苦，——只會和故國底人們一同受苦也好，總之，還是歸去，歸去！

　　　　　　❀　　❀　　❀

　　唵，我在這兒，在這兒儘管把我自己斷送着！•••

　　今日我總要走了，決心地走了。——我何嘗不知道我可以在這兒追求快樂？我何嘗不知道

　　　　　　　—— 22 ——

動身歸國的時候

我已對這兒生了難捨的情意？不過，我旣然得了
nostalgia，就須當服從 nostalgia 這兒底一切
雖然都好，但終竟不是我的！

那些 bals 內徹夜的音樂，
能使人在亂噪中感出調和。
我每當心中生了寂寞？
便去步踏那音樂・・・
哦，那確是能慰遣寂寞：
那時候，我就好像是另換了一種生活！
——但是，謝謝你們，謝謝你們，
你們這些bals，從此我便再不進，不進
　　你們底門！
因爲你們就再怎樣能使我慰魂興奮，
我在這兒却終是一個呀，一個流落的
　　人！

—— **23** ——

動身歸國的時候

那些bars內酒精底烈香，

能使人把所有的憂患遺忘。

我每當心上有了痛瘡，

便去親近那烈香●●●

哦，那確是能平復痛瘡：

那時候，一切苦惱都離去了我底身旁！

——但是，謝謝你們，謝謝你們，

你們這些bars，從此我便再不進，不進

　　你們底們！

因為你們就再怎樣能使我靈魂安穩，

我在這兒却終是一個呀，一個流落的

　　人！

●　●　●　●　●　●　●　●　●　●　●　●

別了，別了，使我留戀的這兒底一切，使我

動 身 歸 國 的 時 候

徘徊不忍去的這兒底一切，使我在这臨去時動
了傷感的這兒底一切！

——Adieu Quartier latin，adieu boupu
ineris riveraines，adieu marronniers ● ● ●

哦，marronniers，
每當暖春的時候，
我常在你們廣大的葉陰下停留，
我最愛你們廣大的葉陰
在溫柔的天空下開展着深綠！

哦，marronniers，
每當涼秋的節季，
我常在你們剝落的聲音中獨立，
我最愛你們剝落的聲音
好像是很發愁而疲倦的歎息！

—— **25** —

動　身　歸　國　的　時　候

·　·　·　·　·　·　·　·　·　·　·　·　·

——夠了，夠了，這兒底一切都不是我的，
我就再怎樣惆悵，留連，也不能發見甚麼重要的
意義，我還是堅忍地離開的好！我還是一點也不
顧惜地離開的好！

咳，那麼，這兒底一切，我都看厭了，看厭了

·　·　·

Assez vu! sur les doulevards, le
　　　　gen s lentsou gais,
Assez vu! toutes leslongueurs des
　　　　ponts etdes quais,
Assez vu! devant Notre-dame, les
　　　　yevx des filles eclatants
　　　　de flammes,

——— 26 ———

動身歸國的時候

Assez vu! sur les Champs-Elysee
　　s, la vive volupte du pa
　　s des femmes,

· · · · · · · · · · · · · · ·

❀　　❀　　❀

唵!讓我慚愧罷,慚愧我過去對於有用
　　時間的荒廢!
唵!讓我悔恨罷,悔恨我過去對於自已
　　生命的遺失!
我最後再向這兒丟着表示終不能抑制
　　悲慨的淚眼:
但這不是惜別,是哭我棄在這兒的那
　　些少年的狂歡!

— — 27 — —

勤 身 歸 國 的 時 候

我那些少年的狂歡，是早已沒有了蹤
　　影，
我要是再想收回，哦，不能，不能，不
　　能，不能！
我知道只有孤苦，憂愁，痛瘡，絕望，陪
　　伴我底前途；
我知道沒有甚麼安慰，可使我心上的
　　病傷平復；
我知道現在是時候已到，須當收束我
　　放蕩的生活，
我知道我除了去愛故國，再沒有方法
　　贖我底罪惡！

是的，我底故國，那兒，偉大的民族，眼
　　看就要破裂，滅亡！
我，還是歸去，迅速地歸去，這兒不是

— 28 —

把身歸國的時候

應該久留的地方！

這兒確能使人追求快樂，但可惜我已
　　沒有追求快樂的心情！

這兒是近代文明底中心，但可惜我已
　　厭惡這種近代的文明！

我給我底罪惡作別，給我收不回的那
　　些少年的狂歡作別：

從此我身上的靜脈，要專為故國去澎
　　漲，專為故國去發熱！

哦，所有我底墮落，所有我底頹廢，所
　　有我底倦怠，

你們，你們就好好地住在這兒，切不要
　　跟着我來！

唉，還是歸去，歸去，迅速而不遲疑地
　　歸去！

—— 29 ——

動身歸國的時候

難道我對於放蕩生活的享受還不滿
　　足？
雖然我不知道我底故國能不能把我這
　　個罪人接收，
但我覺得就在那兒尋辱，也較勝於在
　　這兒儘管勾留！
總之那兒雖然快要成了火後的廢墟，
　　但究竟是我底故國；
我終願在那兒埋我底屍身，不怕那土
　　地就變得怎樣焦黑！

哦，這兒，哦，這兒哦這兒我底那些很
　　久的或不久的相識，
他們，從此總可省去些無聊的禮貌和
　　不重要的言辭！
哦，這兒，哦，這兒，哦，這兒那些常常

—— 30 ——

面身歸國的時候

用愛嬌迷我的女人，
她們，從此總可以少做幾次虛僞的交
好。假意的殷勤！

我一面陸續接吻在我底手上，用來向
這兒深深地送投，
一面振我底雙脚，在褪除著我不願帶
走的這兒底塵土●●●

```
        ※      ※      ※
```

Seine，Seine！就是你有深綠帕平靜的顏
色，我也不管了！就是你有柔和或奔放 聲音，
我也不管了！就是你有在夕陽中誘人傷感的情
調，我也不管了！——并且我一樣的不管你近旁
的甚麼老倦的Tovere"底帶辞的Cuadalquivir，

動身歸國的時候

悲壯驕傲而貴族的Rhein • • •

我，我，我現在急欲想要管的只是黃河，揚
子江，只是黃河，揚子江，只是黃河，揚子江，

十二月，一九一五。

SONNET

在這被秋夜籠罩着的寂靜的露臺上，
我看着你，你看着我，卻都守着沉默。
但是今夜你莫非有甚麼憂鬱和病恙，
因為你底臉兒怎麼是這般的莽白！？

你這一頭濃厚的頭髮壓在你底鬢邊，
越顯得你身裁單弱得像病後一樣。
但是你身上披着的這件很薄的衣衫
怎能禦得住這露臺上浸人的夜涼？

—— **33** ——

SONNET

只有你。纔能知道享受這秋夜寂靜，
只有你，纔下這秋夜底寂靜內
知道享受這帶着惜戀的沉默底深情。
我們就讓這沉默這樣守在我們面前，
就讓這樣你看着我，我看着你，
啊，就讓這樣，都莫要開言，都莫要開言！●●●

— 34 —

SONNET

啊，　今日天氣怎麼是這樣的凄迷，這樣的
　　　　陰鬱，
怎麼是這樣的，使人心中儘管在感着憂愁，惆恨
　　！
這園中，這園中是瀧遍了濛濛的，濛濛的細雨，
啊，瀧遍了苔蘚，瀧遍了石徑，瀧遍了我們底衣
　　裳！

濛濛的細雨在送着一片一片的白色的落花，

—— 35 ——

SONNET

這園中，這園中好像是全被這細雨和落花掩埋，
落花是這樣隨着了細雨緩緩地，輕輕地墜下，墜
下來，來沾着我們底衣裳，沾着石徑，沾着蒼苔。

細雨，細雨，細雨，落花，落花，落花，
我們，我們就走在蒼苔和石徑之上，
冒着細雨把落花往來地踐踏。
落花，落花，落花，細雨，細雨，細雨，
啊，我們都要和這細雨中落花一樣：
在靜默中，向着泥塗這樣歸去！•••

約　定・・・

明 日我，我就起程，我就起程！
但是像我，像我這樣的病人
一定是活不出，活不出今春。
現在我先來和你這樣約定：
我死了時，你，你須得一個人，
一個人去，去叩，叩我底墓門・・・

明日我，我就起程，我就起程！
我們要像，像今日這樣談心，

約定 ● ● ●

恐怕今生，今生是再也不能。
現在我只有這樣和你約定：
我死了時；你，你須得一個人，
一個人去，去叩，叩我底墓門 ● ● ●

明日我，我就起程，我就起程！
我一定死在那很遠的城鎮。
但是你，千萬費點心去訪尋。
現在我，我就和你不妨約定：
到那時，我只要你，你一個人，
一個人去，去叩，叩我底墓門 ● ● ●

明日我，我就起程，我就起程！
我死了沒有留戀，沒有悔恨，
因爲我，我是個飄泊的病人。
現在我，我只要來和你約定：

── 38 ──

約 定 · · ·

到那時，希望你，你是一個人，
一個人去，去叫，叫我底墓門 · · ·

威 尼 市

天氣是像要下雨又不肯下，
你唱完了輕歌在整着頭髮，
你好像是不願和我說話，
我正要想些話來問你。
你却只是把你底眼臉低壓●●●
哦，你，你坐下，坐下！

天氣是像要下雨又不肯下，
你露出了一種有病的疲乏。

—— 40 ——

威 尼 市

你唱歌時聲兒用得過大，
我斟滿了一坏酒給你。
你却只用唇兒輕輕地一抑●●●
哦，你，你坐下，坐下！

41

威 尼 市

唵,你底聲音!唵,你底聲音!

正像是 San marco 教堂底晚鐘,

儘管在把我底心來打動:

我不知道是快樂還是驚訝,

我不知道是虔敬還是痲痹 ● ● ●

我只知道聽到牠的時候,

便恨不得全靈魂和牠溶化!

唵,你底眼睛!唵,你底眼睛!

—— 42 ——

威 尼 市

正像是這 Rialto 橋下的碧水，

儘管在使我底心頭沉醉；

這水好像在流動又像停滯，

這水好像在憂鬱又像嬌凝 ● ● ●

我，我一到看見牠的時候，

便恨不得教牠來把我淹死！

43

威 尼 市

你說你這次走後是不再回轉，
你說你起身的時期就是明天，
怪不得你底臉色是這樣的難看，
你底手放在了琴瓣口邊，
却總是想彈又不想彈•••
那麼你快來把你底頭兒緊靠在我底胸
　　前，不要動轉，
那麼你快來先望着我坐個半天！

—— 44 ——

威 尼 市

你說你這次走後是再不回轉，
你說你起身的時期就是明天。
怪不得你儘管在這樣向我凝看，
你底話像是已到了口邊，
卻總是想說又不想談•••
那麼你快來把你底頰兒偎在我底胸前，
　　不要動轉，
那麼你快來先偎着我坐個半天！

我歸來了，我底故國！

我歸來了，我底故國我歸來了。我底故國！
我帶着一種哀愁與歡樂交迸的沉默！
久別重逢的感情來把我底心胸壓迫，
我我畢竟是歸來了，十年不見的故國！

唵！一切都是依舊，一切都是依舊，一切都是依
　舊，
我想尋出這十年來的改變，但是，沒有，沒有，沒
　有！

—— 48 ——

我歸來了，我的故國！

到處還是這樣被陳廢，頹敗占據，
還是這泥濘的道路，污穢的街衢，
還是這些低矮的房屋，蒸濕的陋巷，
還是無數的貧民這樣橫臥在路旁，
還是這些沿街的乞丐，在曳着代哭的聲音，
還是這許多來這往的苦力，身上撲滿着灰塵●
●●

唵，我夢一般的在上海市頭信步前行，
不自禁地只是忡怔，只是不寧，只是吃驚●●●
像這樣的光景，像這樣的光景，像這樣的光景，
教我怎能，不把重逢的快感變成失望的心情！

唵，雖然這兒故國底一切都是依舊，依舊，
可是租界上卻添起了不少的高大洋樓●●●
租界上的街路是異樣的清潔，白皙，

我歸來了，我的故國！

租界上的街樹都栽列得特別整齊，

租界上的娛業場中，音樂是悠揚，悠揚，悠揚，

租界上的咖啡館中，酒香，煙香，婦女底粉香，

租界上到處都是，到處都是，是富人們出入的酒
　　店，旅館，

租界上富人們底汎事，成隊地停在酒店和旅館
　　底門前，

租界上，租界上的公園緊靠着租界上的馬路，

租界上的公園，租界上的公園是不准華人涉足
　　· · ·

哦哦，租界上的公園，哦哦，租界上的公園，

這樣堅固的鐵門！這樣高大的石灰牆欄！

我知道，我知道當這酷熱的暑天，

公園中一定被濃厚的樹蔭填滿，

涼風由樹蔭中落下，在緩緩，緩緩，

去把遊客們閒坐着的長椅拂遍，

—— 48 ——

我歸來了，我的故國！

一定有許多的男女在穿着輕薄的衣衫，
都坐在那些長椅上安然地出神，休憩。
但是，但是公園外的太陽像是要曬焦了馬路上
　　的地面，
都有許多苦力推着裝土的重車在馬路上掙扎着
　　向前；
他們，他們底臉上，胸上，都滿流着熱汗，
　　他們底步履都艱難得像要跌倒一般•••
哦哦，公園底石灰牆欄就把內外這樣隔斷，
公園中的涼風呀，總是吹不到這馬路旁邊！

但是馬路上卻也有熱風在不時地來吹，
這熱風只把這馬路上的灰塵陸續吹起。
庵！灰塵，灰塵，灰塵就好像是在故意，故意，
只去撲着那些掙扎着向前的苦力，苦力！
庵！馬路旁的洋樓總是那樣的巍然高立，

—— **49** ——

我歸來了，我的故國！

那一層一層一列一列的樓窗都在緊閉，
有時蕩出了些鋼琴底聲音，放逸，柔媚，
像是在開跳舞的宴會和歡會的筵席。
苦力們卻推着他們底土車經過這些窗底。
他們，他們，他們，哦，汗水，哦，灰塵，哦，汚泥，
　汚泥。。。
——唵！爲甚？爲甚？熱風能吹起灰塵，
熱風就吹不動那洋樓底屋頂！

唉，我好像一個，一個神經變了質的癡人，
只在這樣，這樣發着些無謂的癡想；
我底心像是被火燒着一樣的難忍，難忍，
我只是在這上海市頭往來地徬徨。。。

在這上海市頭，在這上海市頭，在這上海市頭，
我無言無言地只是徬徨，只是徬徨，只是徬徨，

—— 50 ——

我歸來了，我的故國！

我徬徨地看着這些公園，這些洋樓，這些馬路，
這些往來的外國步兵，這些步兵肩上的長鎗•
• •

我，我看見了這些一隊一隊的外國步兵，
唱着他們底軍歌，在馬路中央開步，立正。
所有這馬路上的行人，行人，行人，
都被禁止着站在兩旁，不能通行。
所有的行人都帶着恐佈，畏慄。
都只在默默地站立，不敢出聲。
外國步兵，好像在無人的境地一樣，邁步前進，
一排一排的鎗頭上的刺刀，刺刀，哦，那樣鮮明？
• • •

唵！黃浦灘，黃浦灘，黃浦灘，
水就是這樣的汚濁，可憐！

—— 51 ——

歸我來了，我的故國！

我伏着這岸上的白漆鐵欄，
想聽一聽這兒江濤底狂嘯。
可是這污濁可憐的江面，
不見一點漣漪，一點波瀾！
唵！熱淚是已經把我底兩眼漲滿，漲滿。
——壓着江濤的呀，這些外來的巨砲，兵船！

哦哦，這些外來的巨砲，這些外來的兵船，
壓住了這，這可憐的黃浦江濤，不得流轉•••
我覺得，雖然太陽還曬在這黃浦灘前，
可是，這上海已完全變作了慘白一片•••

唵！慘白！慘白！上海底一切！上海底所有！
——只除了那馬路上巡捕底紅色包頭！

唉，紅頭的巡捕，巡捕，你們，你們，

我歸來了，我的故國！

你們完全忘記了你們底本身！
你們在馬路上立得這樣的安穩，
不停地用手棍打著運貨的工人⋯⋯

唉！慘白就蓋住了上海底一切，上海底所有，
——只除了這些打著工人的巡捕底紅色包頭！
⋯⋯⋯⋯⋯⋯⋯

唉唉，這算是我十年不見的愛慕的故國！
這算是我久想踐踏的繁華的上海！
我現在是只有苦痛的沉默，苦痛的沉默，
我，我恨不曾死在那流浪的海外！
我親著這兒慘白的地土，
我底心卻像是在被烈火掩埋！
像這樣的故國於我何有？
只向我送著無限的失望，悲哀⋯⋯

—— 53 ——

我歸來了，我的故國！

我祈禱這些馬路上被巡捕打着的工人，
我祈禱這些被灰塵撲着的苦力，
我熱烈地祈禱他們，我熱烈地祈禱他們，
我祈禱他們更換這兒慘白的色澤！•••
——哦，起來，起來，起來，起來，起來，
把這慘白的故國破壞！破壞！

— 54 —

改　變

我沒有時間，沒有時間，
沒有時間再和你們糾纏！
你們底無聊和傷感，
可惜我也再不能慰安！

我本還想保持我底情緒纏綿，
給你們再寫幾闋溫柔的詩篇；
可是那底情緒已經改變，
那種言語再也不能上我底筆光。

—— 55 ——

改　變

別了，朋友，我再沒有時間！
沒有時間和你們糾纏！
你們愛好的頹廢，浪漫，
已經是，已經是和我絕緣。

我不是詩人，請你們再莫誇讚，
至少對於你們，我是再不能慰安。
要是我真是詩人，那就再讓我煆煉，
煆煉到，我底詩歌能傳佈到農工中間！

── 56 ──

三年以後

哦，三年，這樣迅速的三年！我一個人站在橋上傷感地想着。

我像要認故舊似的巡視着這兒四圍底景色。右方是一處很大的牧場，遠遠看去，只是片嫩綠，在這片嫩綠上又時隱時現地有許多白點，那大概是牛羊在走動着了；左方是一帶山原，山原下滿是插入空際的Populus；通過我站着的這條石橋，一方接寬廣的田地，一方是到街市去的大路，路底兩旁分列着兩行垂着長條的柳樹，一個

—— 57 ——

三　年　以　後

很老的 Cothipue 教堂把牠底尖頂高矗到雲端，有時盪出遲鈍的鐘聲與橋下緩弱的水音相和。

橋頭上有一所莊園，門前陳舊的色澤使人一見便知這是經了不少年歲的建築了。很堅固的 Cal aires 底牆上布滿着爬壁藤底綠葉，幾乎一直封住了 Balcon 上的出口。旁邊接連着有一段矮牆，那是爲圍護園中的花木的，站在外面的人可以看見園中有 Chenes 和 Marron iers 底廣陰，但是現在正是温暖的五月，一陣的風吹過，却撲出些薔薇底輕香來。

這莊園內的主人底姓是 Hugo，一位已經五十多歲的老人和一位名叫 Marguerite 的年青姑娘，是我三年前的居停。我曾在這莊園內住了兩年，經過可以說是很長的安靜的生活。——自然，像我一個飄泊得差不多連自己底籍貫都要忘記了的人，無論走到那一處都要感着不定的

三 年 以 後

痛苦,那裏還能有真正的安靜的生活!不過我這居停對我的情誼確令我永遠不能忘記:他們不曾把我看作外國人,他們不曾用待平常住客的情形來待過我。我在這莊園中的兩年,深得了他們底安慰和愛助。他們是給我生活中添了一段絕好的紀念,他們底這所莊園也就永遠留下了我深切的回憶了。

我還記得我在這兒住的時候,我底那間房子除了晚間去睡覺以外,平時只是等於虛設。我是終日總在他們底廳房中讀書的。那個廳房三面都是和迎着的玻璃長窗,園中的景色由窗內可以完全看見。每天我總坐在那圓桌的右方讀書;我底年青的女居停主人也常坐在我底對面或是讀書或是縫紉,有時又去坐在靠牆的 piano 琴檯上伸出她白晳的兩手在奏着的種種的妙曲,那時我便掩了卷,細聽由她手下流出底那種動

— 59 —

三 年 以 後

人的音調，我知道她最愛奏的是 Auder 底"Lar eved amour" 和Connod 底"La nonne sangie nte"，我遂合起了底兩眼讓我底心神和那音調融化。

　　我還記得每天晚餐以後，我們都坐在廳中的那盞籠着淺綠色罩子的電燈底下，我底年青的女居停主人便開始和我談着她喜歡讀的書籍和她還能記起的小說詩歌，有時還談到她幼年的生活並她底亡母死時的悲痛●●●她底性情向來是帶着幾分憂鬱，在那些溫存的談話中常不自覺的露着搖人感情的愁歎。她底父親每天總是很晚纔回家的。據她說他是自從她底亡母死後，纔這樣每晚到咖啡館中去消磨他底寂寞；她說他晚年的這種寂寞，除了這樣去消磨，怕也再沒有別種方法的了。我就這樣陪着她，一直等到她父親回來的時候，總各自安寢。但是有時她

三 年 以 後

都守着沉默，像是帶着疲倦的病態，我也不出一點聲音，就在那耐人尋味的寂靜中和她對坐。

我還記得有一晚——哦，最難忘記的那一晚了！我和她坐在那淺綠色的燈下，我們都是沒有講話的。秋天底晚上，分外覺得寂靜。窗外時時有些秋風吹過，我們底身上也像添了幾分涼意。她那時也沒有讀書，也沒有縫紉，也不去奏琴，只是很無聊的靠在一張Canapé上，像在想念甚麼事似的沉默着。我呢，也是無言地對着她，只在盡情地領略着她底姿態與美色：她那褐色的頭髮，她那黑中帶着微藍的眼睛，她那一點也沒有塗抹脂色的天然嬌潤的口唇，她那泛着年青的風情同時又露着表示她纖弱的蒼白的臉龐，並且她那種正在想念甚麼事似的愛戀的神色和那種由沉默中流出的處女煩躁，·‧‧哦，那時的我，真不自禁地被那個 Exoticmood 的

—— 61 ——

三 年 以 後

少女迷住了！最後還是她耐不住寂靜底壓迫，纔輕輕地啓了她底口唇，帶着微歔的聲音說道：

爸爸還不見回來，今晚底天氣可真使人無聊呢。

──可是呢，我也輕輕地答着她：你聽園中 Mar,,rouniers 墜地的聲音，好像是寂寞的歎息一樣，像這樣的秋天底晚上，最好在一種 Mela-uchclie 底情景中來領略，我想病人或者可以領略這種秋夜底情調，可惜我們都不是病人呢。

──不然，不然。我從前有病的時候，醫生說一到秋天就要發作的，等到了秋天，像這樣的晚上，我總更覺得孤苦，恐怖，一點甚麼情調都不能領略的 • • •

──唉，你從前有過甚麼病？我底聲氣好像有點搖動了。

──肺病。但是現在那種症候已經退去了。

──── 62 ────

三 年 以 後

　　甚麼？退去了？我心中突然感覺着一種失
望。哦，我底年青的女居停主人喲，請你恕我罷！
我想假使你底肺病還沒有離去你這纖弱的身體
時，我願意朝夕來扶侍你，要是你臥病在牀上的
時候，我也願意去在你底牀邊盡看護的義務。我
想，你像這樣早年失了母親並且時常感着身世
孤苦的少女，能得我用心去扶侍看護你，你是必
定會誠意來愛我的。等到最後你可憐的生命告
終的時候，也正是我得了你肺病的分贈，隨着你
消滅我這無謂的殘生的日子，哦，像那樣的情
死，像那樣你身中有我，我身中有你的情死，我
想是再美也沒有的，再好也沒有的了！•••
　　我儘管這樣凝想，便不自覺地對着她呆看
起來。她好像覺得了我底心思，帶一種羞怯的神
色，轉身由她身旁的桌上取了一本 Musset 底
詩集，打算低下頭去誦讀。但是她那種無聊的煩

— 63 —

三 年 以 後

躁使她再也不能像平常時的安靜了。她隨便翻了一冊，翻到了"Lucie"那首哀歌，便又揚起頭來向我問道：

你愛讀這首詩麼？

—— 唉，愛讀呢。這真是一首動人的好詩。難得他敍述得這樣淒楚，這樣委婉。我想只有遇到這樣的人，這樣的境地，纔可以永遠不忘•••唉，人生最有趣味的怕只有一個紀念罷！人生底聚合是沒有一定的，離散也是沒有一定的。今晚我們是對坐在這個廳中，明日呢，又有誰能知道是怎樣的呢！但是所遺留的還有一個紀念，這便是我們將來的安慰•••

我說到這里，一注意到我青的女居停主人時，我纔看見她噙着兩眼的眼淚，低着頭在默默地沉思，我不覺喫了一驚，但立地便又明白是我底幾句話引動了她底傷感的。我卽刻失悔我底

—— 64 ——

二 年 以 後

孟浪，不應該在這樣聰明而易感的少女而前說出這樣惹人不快的話來。並且我說話時也沒有細想，這樣的話中，似乎還帶著許多不幸的意義呢！唉！我真荒唐！我這種皮氣總不能改掉！我真想向我年青的女居停主人謝罪了。我想還是換過別種話來說罷。但是不行！我總偏偏想不出別種有興會的話！我只好閉了口，靜靜地在等著她傷感的過去。

　　但是重大的事情發生了。我年青的女居停主人忽然抬起頭來急切地看著我：

　　度沒先生，你將來要離開我們嗎？

　　——甚麼●●●怎麼能不離開呢？像我這樣飄泊的人，怎麼能常同你們守在一處呢？

　　——啊，那麼，那麼我們都要感到辛苦呢。爸爸很希望你常在我們這兒住呢●●●爸爸說過的只要你願意常住在這兒，我們就同自家人

三 年 以 後

一樣●●●我也從來沒有過像你這樣的朋友，
每天都在一處談心的呢●●●

　　──　●　●　●　●

　　哦哦，這樣一來，我真不知道怎樣去回答我
底年青的女居停主人了！我分明看見她兩頰上
泛着一層洩露她底隱情的紅暈，我又分明聽到
她聲中還帶着一種不能自持的顫慄或者是我坐
得距她太近了，好像還聽到她心臟底激動●●
●──哦哦，我底年青的女居停主人喲，請你恕
我罷我是一個流浪慣了的人，我是一個孤獨慣
了的人，我是一個沒有勇氣的男子，我是一個專
務空想而不能負責任的 Egoiste；請你恕我罷！
我心中確是愛你的，但是我不願因為愛你而害
了你。像你這樣純潔的女子，應該得一個對你完
全有誠意的人，哦哦，像我，像我這對甚麼事
都沒有熱心的浪子，那是決沒有愛你和被你愛

三 年 以 後

的資格的！・・・

　我心中雖然儘管反省，但是我底年青的女居停主人底那種迷人的神色又不住地在誘着我，唵，不對，不對！我還是不要再坐在她底身邊吧。我一面這樣想。一面便搭訕着站了起來。

　——哦，晚安！我連她底答禮還沒有聽見，便出了廳房，逕自回到我底房中去了。

　・・・・・・・・・・・

　這些情形都還像是昨日的一樣，然而我離了他們卻已經是三年了。我還記得當我要離開他們的那一天，我年青的女居停主人是躲在了她底房中不願見我底告別，她底父親是揮着兩條老淚把我送出了莊園底大門，我那時是一腔的傷感，但是終竟提着我破舊的旅行皮包一個人決然地走了。哦哦，自從那時和他們一別，匆匆地就過了三年！這三年中，我不知道流浪了多

—— 67 ——

三 年 以 後

少地方,不知道嘗受了多少憂患!並且是經過了墮落,經過了非常放蕩的生活的了!哦哦,這三年中我身世變化怎麼是這樣的大,這樣的令人可驚呢!

現在我是由意大利底 pompei 流浪了以後,再折返到法國的。因為在旅途中經過這三年前我曾留滯了兩年的地方,一種異樣的 Nostalgia 來侵襲着我,我竟在半途中下了我長路的火車,打算來到這兒作一個小小的勾當,好訪我永遠不能忘記的莊園和那兩個賢惠的居停父女。

我是一走到這莊園底門前的橋上,便在不自覺中站住了的。我是完全浸在了傷感的夢境裏,我看這兒底一切都依然如舊,只是我這個人改變了。我想當我住在這兒的時候,雖然不能說是還沒有染甚麼不可醫治的 Lypemanie,但是我總覺得那時我的心情還能保持着安穩恬靜的

—— C8 ——

三 年 以 後

狀態,可是現在呢,我卻成了一個頹廢的,沒有希望的人了!這兒底一切都是依然如舊的,依然如舊的,這山,這水,這教堂●●●一切都不曾改變,只是我這個人改變了,改變了!●●●

我是完全浸在了傷感的夢境裏,大概是我已經沒有了熱情的緣故,心中也並不覺得怎樣的跳動,只是鬱着滿腔的落寞,最後纔用手去慢慢地推那莊園底大門。

❀　　❀　　❀

——很久我們這兒都沒有過這樣 Soiree 了。

——正是呢度沒先生,自從你走後,我們常常聽到 Hugo 先生在說他底家中像是冷靜了很多,並且還說是怕再不能見你了呢。

——Margnerite 姑娘纔更不不慣呢。她說你在這兒的時候,每天晚上 Hngo 先生還沒有

三 年 以 後

囘家,總是你在陪着她;你走了以後,卻只賸了
她一個人了。她說當你纔走了的那幾個月以內,
她眞寂寞,她常常地哭呢•••

——慢說他們,就是我們這些鄰居,因爲每
天差不多總要見面的緣故,你走了,大家都是感
覺到不快的。

——我們都是常常在想你,常常在說你的。

一個很明的電燈掛在客廳的中央,廳中除
了我和我三年前的老居停 Hugo 先生以外,還
有許多男女來賓。他們都是這兒左右的鄰居,都
是我三年前的舊相識,都是因爲聽到了我旅行
到此,今晚纔約聚在Hugo 家中來與我晤會的。
我底老居停帶着快樂的感情說了一句話之後,
他們便跟着敍述起了我走了以後這兒底種種境
况。

我在這樣的空氣中,感受到一種暫時忘卻

—— 70 ——

三　年　以　後

我奔波勞苦的 Extasy。不知道是哀愁，還是愉快，我底心胸完全被不調和的情緒所侵占了。我看見我底老居停在卓上擺起了飲紅酒的和注 Alcool 的大杯小杯。——啊。就在這個卓上，三年前是每天我來讀書的！這廳中的陳設都還沒有甚麼變換！那張 Canape，那座 Piano，都還在舊日的位置上，一點也沒移動；只是這電燈上再不見籠着有那淺綠色的罩子，這客廳也像沒有從前那樣的幽靜，那樣的 Intime，了。我再注意到我老居停時，我發見他確是比三年前老了許多而且還帶着有些衰病，他雖然時時向我露着歡迎遠客的笑容，可是終於掩不了他頹唐的神色。這許多鄰居也大半都和往日有些不同：他們有的也添了老態，有的卻多抱了一個孩子●●●啊，我真不知道是哀愁，還是愉快，我底心胸完全被不調和的情緒所侵占了！

—— 71 ——

三 年 以 後

——Masguerite 來了。我底老居停突然這樣說了一聲，果然門外有急促的脚步在響了。

跟着客廳底門由外邊推了門來，我底女居停主人同一位少年，出現在我底當面。

——度侵先生，我底女居停主人指着那位少年說這是 Robert,我特意出去引他來見你，因為他很願意和你談話呢。

——你或者記不起我了。那位少年一面說，一面指着座旁的一位老夫人：我就是 Buisson 夫人底兒子。從前我們是見過的。

哦，Buisson夫人底兒子！經他這一表明。我緩恍然地想起來了。我三年前住在這兒的時候，他是正在遠處當兵的。是他告假歸來的那一次，我曾見過他。我還記得他說他當兵的地方是最陰鬱的 Bretagne,他說他在那兒的生活是非常孤苦，他說他等到當兵的服務完結後，便要立刻

—— 72 ——

三 年 以 後

同來陪伴他底母親的。他底母親也是最和藹的
一位老夫人，大概是早年寡居，只守着他一個獨
子，因爲常來 Hugo 家中的緣故，所以在所有
的鄰居中他們母子是我最熟識的。我還記得他
假期將滿，再離家遠去時，還託我常到他家中去
坐談，代他安慰他母親底孤寂···，哦現在他
是這樣的壯健，這樣的美秀！他底衣服穿的這樣
的整潔！現在他一定是早由那滿空濕霧的 Breta
gue歸來，陪伴他底母親，再不去當兵的了。我很
熱烈地和他握手，謝了他底盛意，他便坐在我底
側旁，我底女居停主人卻坐在他底肩下。

　　我有些明白了。我看見我底女居停主人穿
着一件淡藍色的 Robe，樣子是非常的合身，非
常的大方，配着白色的絲襪和瘦長的黑鞋；臉龐
好像是比較三年前豐滿了許多，不知道是這廳
中電燈再沒有那淺綠色的罩子的緣故，還是眞

—— 73 ——

三 年 以 後

個她底顏色已經改變，她確是沒有從前那樣的蒼白了。她底姿態固然還和往日一樣，但是現在她對於我卻總像是沒有往日那樣親近，那樣誠懇；雖然她底姿態還和往日一樣，但是對於我，她已經不再是那淒楚而易感的少女，不再是那使我想和她一同害肺病而死的少女了。我突然又看見她項間掛着一個金鍊，鍊上有一很小的金盒，我立地好像看見了這盒中的祕密，我立地好像看見了這盒中鑲的是正在她身旁坐着的這位少年的小像，一種莫名其妙的隱痛卽刻走上了我底心頭，我不自禁地把我底頭低下了。

——唉，度沒先生，怎麼你不談話呢？我底女居停主人帶着安慰的口氣在問我。

——哦哦，我●●●我是在想這光陰眞快！

——唉，可不是？誰也沒有覺得，你離開我們已經三年了呢。你還記得麼？有一次我們爭着

三 年 以 後

背誦拉丁詩，有一句我總記不準確，你時常笑我，後來我終於記住了：這句詩正好現在來用。

——那一句詩呢？

——"Eheu fugacs Labuntur anni"

——哦哦，你底記性眞好，

這時客廳中已填滿了煙香與酒味。我底老居停 Hugo 先生像是分外高興。打着他那像破了一樣的嗓音和座客討論種種的問題，有時又舉手拍着卓子大笑起來。所有的座客也都附和着他底聲音，卓上底杯子已經乾了好幾次，各人都像是有了幾分醉意了。

—— Maguerite, 奏一奏 Piano 呀! Hugo 先生突然這樣叫了一聲。

——不錯，不錯，Marguerite 姑娘奏一兩個譜子給度浸先生聽呀! Buisson 夫人這樣和了一句，立地便引起了滿座表示同意的鼓掌聲。

—— 75 ——

三 年 以 後

　　我底女居停主人先看了看坐在她身旁的 R odert 先生，又掉過頭來望我，意思像是得了 Rod ert 底同意，還要等我底催促。

　　——哦，我請你，我是有這樣久沒有聽你奏 Piano 了！我隨着我女居停主人底眼光急忙地說。

　　——那麼，Robert，來給我按樂譜罷。我底女居停主人緩緩地站起來了。

　　她走在了 Piano 底檯邊重復坐下，Rodert 先生站在旁邊預備替她翻換樂譜。她把手放在琴瓣上，卻特意先把頭囘過來向我問道：

　　度侵先生，你喜歡聽甚麼譜子呢？

　　——甚麼譜子？···‘Lereve d'amour’好麼？這是你從前最喜歡奏的一個···哦，還有一個 ‘Lanonnesanglante’ 但是你現在怕不願意再奏了罷？

—— **76** ——

三　年　以　後

　　我底女居停主人明白我底意思，她像是羞慚，又像是得意，她並不答我，只帶着一種會意的神色微微地向 Rodert 一笑，接着便垂下頸去奏起她底 Piano 了。

　　我底女居停主人真好！她把我說出的兩個譜子都奏了。按着還再奏了兩三個另外的譜子，纔重復囘到座上。

　　——哦，多謝你了！我向着她說：我真沒有料到我離開這兒三年以後還再能聽到你底音樂呢。

　　——我也沒有料到今晚能奏給你聽，她說：因為我們都想不到你還能再到我們這兒來••

　　——唔，度俊先生，我底老居停帶着醉意打斷了女兒底話：你明天可以不要走，再和我們多聚一天罷。

—— **77** ——

三 年 以 後

多聚一天！我看着我底這位誠懇的老居停，我幾乎要流出了眼淚。我感覺到今晚底這個夜會對於我要算是很有意義的，在座的諸人對於我都是抱着最難得的眞情與誠意，我這走次後，一定是再沒有相見的機會的了。但是我明天又怎能不走，又怎能再和他們多聚一天呢？我忙向我底老居停答道：

謝你底厚意，我因爲還有別種事故，明天再不能勾留了。今晚底盛會使我永遠不能忘記。我來時眞沒有想到能帶這樣多的愉快而去，眞的，今晚我得到的愉快，是我從來沒得過的。

——這算甚麼！

——我們也是一樣。

Hngo 先生和她底女兒同時都說了這麼兩句。

我又繼續地說：

—— 78

三年以後

　　明天--早我就要走的，今晚我就在此地給座上的諸位致謝，並給諸位告別。或者我不久回到東方去，我覺得我確是流浪得太沒有歸宿了！我還得要回到我底故國去。我們以後何時見面及以後能不能再見，誰也不能說定。今晚底這個紀念，我們大家都得好好地保持着。

　　沈默佈滿在座上了。我回頭看見我底女居停主人低着頭一句話也不說，這個憂鬱的神色使我覺得她又恢復三年以前的美貌了。突然一種強烈的情緒搖震了我一下，我便又繼續地說：

　　夫人們，先生們，我還有一點超過我今晚應說的話底限度以外的意見你們都是知道的，我三年前在這兒住的時候，Hngo 先生和 Margnerlte 姑娘待我都是等於自家人一樣，要是我說一句過分的話：Hngo 先生真把我看成了他底子姪，Maigueilte 姑娘真把我看成了她底兄弟。

— **79** —

三　年　以　後

這種情誼常留在我底心上，我在這別後的三年中，常在希望 Hugo 先生底健康和 Marguerite 姑娘我幸福。夫人們，先生們，世界上有對於他妹妹底前途不留意的哥哥麼？我底這個妹妹，她有過人的聰明，她有最溫柔的天性，我望她能得一個不至辱了她的佳耦。我不是替她選擇，也不是替她決定，只是行使作哥哥的應有的權利，在做贊助和作成的事務。在今晚底會常上，我確是給我底妹妹把幸福尋得了。夫人們，先生們，你們知道是那一個呢？

　　我說到這裏便用手指着 Robert 先生，一面都向着 Hugo 先生和 Buisson 夫人說：

　　想來你們二位老人也是喜歡的罷？

　　兩個老人都笑了。我又說：

　　我很望他們。兩個早點定婚，都不要被青年常有的不定的心理誤了自己。—— 哦，來罷，我

—— 80 ——

三 年 以 後

底妹妹，要是你覺得我底話能使你快樂，那麼你來，Robert 先生也來，我們三個人揷一個杯！

果然，我底女居停主人眞好！她和 Robert 都站了起來，在滿座的鼓掌聲中我們碰了杯，都把酒飲乾了。

這時我卻再專向我底女居停主人低聲說了一句她不曾想到的話，我說：

但是，當到你結婚的時候，不管我在甚麼地方，總望你能寫幾個字報告我，不要把我忘記了。

她在微笑中點了頭，表示她底答應。我立地覺得我周圍都像被一種意外的快樂所包圍，我便借這狂歡的空氣，起身給他們告辭。

滿座的玻璃酒杯在最後的祝福中又熱烈地揷在一起了、

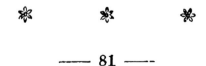

—— 81 ——

三　年　以　後

　　早晨寂寞的車站上被細雨灑得帶了幾分滑濕，我手中提着到處隨我流浪的破舊皮包，預備又要上我飄泊的長途。

　　昨晚底酒味還沒有完全退去，只覺得稍帶點疲倦，心中已沒有來時的那樣傷感了。

　　哦，別了，可愛的莊園！

國慶前一日

人物：　張白甫——民報編輯

佈景；　張白甫之家中——一所簡陋的住
宅。正首有門，可通內室；右首又
有一門，爲臨街的出口，此門旁有
一窗戶，可看見街上事物。場上設
置都很簡陋，桌子一張，椅子二三
隻。桌子上堆有報紙雜誌，並置有
墨水紙筆等。惟右首牆上安有電
話。

國 慶 前 一 日

張 白 甫

（在內室，場上只聽見他底聲音。）

啊，你還是休息休息罷！・・・對了，這樣
躺着・・・你不覺得枕頭太低麼？我把這件外
套捲起來放在枕頭下面，好不好？・・・不要？
那麼你覺得這樣還舒服麼？・・・那麼，好，就
這樣！可是你要安靜些・・・我嗎？我現在要把
那張傳單稿子修改修改，等一等他們就要來拿
的・・・是的，這是爲明天用的，趕今晚就要印
出來的・・・怎麼？你覺得有些冷，是不是？還
是把這外套加在被上好些・・・讓我快去把那
傳單修改好——但是不要緊，我還可以一面陪
你談話的・・・

（他由內室走了出來，穿着很舊的西裝，年
紀約三十左右。）

—— 84 ——

國 慶 前 一 叴

唉，怎麼外邊也是這樣的陰暗呢？怕是天要下雨罷？

（走到窗邊。

或者，或者不會呢・・・甚麼？——

（走到內室門口。）

你問甚麼・・・幾點鐘現在大概——

（看身上帶錶。）

哦，已經四點多鐘了，已經不早了呢・・・

（坐在卓旁，一面翻閱稿紙，一面向着內室。）

是的，我現在預備修改這張傳單・・・你要聽？・・・唉，好的！我一面讀給你，我一面來修改・・・是的，這是幹部底人起草的・・・我們已經決定借明天國慶的日子做一次巨烈的羣衆運動，這傳單就是說明這所謂國慶底意義和我們應取的態度・・・——哦，你還記得三年前五卅事件發生的第二天，我們兩個一塊兒

—— 85 ——

國 慶 前 一 日

做傳單的情形麼？那時我們兩個都被舉爲起草
傳單的負責人，我們兩個在閘北一間亭子間裏
面對坐了一天，你把你起草的稿子給我看，我把
我的給你看。哦，那時候我們兩個真起勁呢！我
們不是費了一天的工夫，做了有十幾種傳單嗎？
那真是可紀念的一天！•••甚麼？你說？••
•當然我那時那樣起勁，一半是工作的需要，一
半也是因爲有你在我底旁邊•••那麼，你那
時的起勁呢？•••笑甚麼？說呀！•••叫我
想？•••哈哈！那麼也是因爲有我在你旁邊的
緣故了•••哦，我們那時真好！光陰真容易
過！那天我算是第一次和你單獨地坐在一塊兒
工作，自從那天以後•••甚麼？是的呀！光陰
真快，真快，真是一點也沒有覺得，我們共同生
活己經要滿三年了呢！•••那裏底話！瞎說！
好好的一個人怎麼就會死了呢？你要靜養纔行！

—— 86 ——

國 慶 前 一 日

等到你病好以後，我們還同從前一樣，一塊兒工作，那樣多好呢！●●●哦，好的！我一面讀給你，我一面修改●●●

（讀傳單原稿。）

"被我迫的勞苦民衆！

今天是所謂國慶的日子，市政府傳來了政府底命令，要全市都一致地掛旗慶祝——當然我們都這樣的做了。這在表面上看去，今天確是一個非常光的榮日子。

但是，一切革命的被厭迫的勞苦民衆，應當認清今天這個日子底裏面。這兒所有的光榮，只是他們少數特權者裝點自己門面的幻術，和我們底實際生活是全不相干的。

他們一面在●●●"

（取筆添寫。）

這里須得添幾個字——

國 慶 前 一 日

"他們——那些豪紳地主資產階級—— 一
面在屠殺農工，在帝國主義底面前獻媚一面卻
又大吹大擂，說他們已經統一中國，說他們爲民
衆造了許多的利益。

所謂國慶 • • •"

唉，這裏又得加一項——

（寫。）

"在這種情形之下，我們不能不正式地來把
他們底假面具揭開。所謂國慶 • • •"

唉，不——

（寫。）

"我們決不否認，所謂國慶這個日子在過去
歷史上的意義。我們一點也沒有否認這個。我們
反對的是豪紳地主資產階級借着這僅在過去歷
史上佔有意義的國慶來發表他們底反動言論—
——爲鞏固他們自己地位的反動言論以欺騙民

—— 88 ——

國 慶 前 一 日

眾。

　　我們只聽見他們口口聲聲地說是爲民眾造了許多的利益，但是民眾得到的是甚麼？

　　我們看：工人得到的是失業！農民得到的是兵災，是匪禍！兵士得到的是幾萬幾萬的死亡，是死不掉的卻八九個月得不到一點薪餉！商人得到的是苛捐，是雜稅！所有的苦力及貧苦民眾得到的是無衣食，凍死餓死！——夠了！這就是他們給民眾造得的利益！

　　甚麼叫‘裁減兵額’？甚麼叫‘勵行自治’甚麼叫‘已得友邦之諒解’？他們口口聲聲地這樣欺騙我們，用這些官樣的文字來欺騙我們●●●”

　　（電話鈴響。）

　　哦——

　　（他站起來去接電話。）

　　阿勞！阿勞！是那一個？●●●是●●●李

—— 89 ——

國 慶 前 一 日

顏洪?哦,我是張白甫⋯⋯甚麼事⋯⋯哦⋯
⋯哦⋯⋯我正在修改,不過大體都很好,沒
有可以大修改的地方⋯⋯你馬上就可以拿來
⋯⋯是的, 馬上就可以⋯⋯再沒有甚麼事
嗎?⋯⋯哦,好⋯⋯

　　　　(他復坐在卓旁。)

　　　　(向內室。)

　　　⋯⋯沒甚麼! 就是他們催我馬上把這傳
單修改好⋯⋯囉?是呀,並沒有甚麼十分可以
修改的地方⋯⋯不過總得看一遍⋯⋯——
你現在覺得好點嗎?⋯⋯囉?⋯⋯啊, 有這
樣的事:聽了這傳單可以使你底病輕一點?⋯
⋯那麼, 多做些這麼的傳單給世界上有病的窮
朋友們去讀,豈不好嗎?有錢的人得了病, 可以
住病院,可以請醫學博士,那麼, 我們窮人就靠
這種傳單來治病罷!哦,的確的呢! 這傳單可以

　　　　—— 90 ——

國 慶 慶 一 日

增加我們底抵抗力,可以復活我們血輪,所有防
害我們健康的微菌,都要被牠殺死呢!•••甚
麼?•••好,不說了,我讀,我讀!我希望這張
傳單讀完,你底病就可以痊愈,那便又多一個做
傳單的人了•••好,我讀•••

　　　(讀。)

　　"•••用這些官樣文字來欺騙我們,不
過,我們是有眼睛的,我們看:各地底軍閥都正
在祕密地募兵,祕密地輸入軍火,以作互相衝突
的預備;他們之間底每一個都想得帝國主義底
寵幸,都想無限制地獲得賣國的整個權利。資本
底魔力使他們完全不知恥地投身在帝國主義底
膝下了!若在全國已被他們造成了全副帝國主
義侵略的局面!——這樣,試問怎麼樣去裁兵?
怎麼樣去自治?還說甚麼'得友邦之諒解'!笑話!
真是笑話!"

　　　　　　　— 91 —

國 慶 前 一 日

你說？・・・是的，做得的確壞呢・・・嚦？・・・我不大知道，大概是適才給我打電話的李顧洪起草的罷・・・是的，他是幹部新任的祕書・・・

"一切革命的被壓迫的勞苦民衆，應當認清我們目前所處的地位。我們決不能讓人永遠這樣的欺騙，同時我們須知道這些事實只是證明革命運動快要達到一個新的高潮！我們要加緊我們底力量，努力地團結起來推翻一切反動的勢力！

所以，在今天這個僅在過去歷史上佔有意義的國慶中，我們決不容反動派借來發表蠱惑我們的種種言論。我們決不受他們底愚弄，趕快組織自己，武裝自己，堅決地向敵人進攻以實現自身迫切的要求！"

（電話鈴響。）

—— 92 ——

國 慶 前 一 日

又是甚麼？

（接電話。）

阿勞！阿勞！●●●那一個？●●●是的，我是張白市●●●甚麼？●●●啊！怎麼弄的？●●是剛纔發生的嗎？●●●真糟！真糟！那我們明天用的傳單豈不是不能發了嗎？●●●這真糟！是怎麼弄的！●●●甚麼？還有？第四？●●●不是？●●●啊！第十！那麼，明天怎麼辦呢、●●●哦●●●好罷，你弄好了的時候再告訴我●●●

哼——

（向內室。）

●●●不要問罷、真糟透了！我們底印刷機關被破壞了！●●●說是剛纔發生的●●●喏？當然是司令部方面底人●●●那裏只能捉幾個人呢？全部印刷機關底同志都被捉去了！●●●

國 慶 前 一 日

當然！門當然被封了！···喂？···是呀！明
天底傳單不能發了！—— 我剛把傳單看完，只剩
到最後的口號了，眞糟！馬上更發生了這件事
情！···明天底運動自然是還要實行的，不過
同時我們第十區底機關也被破壞了呢！···
是呀！第十區！···所以糟呀！第十區是工人
區域，我們明天羣衆運動底幾個領導的人都在
那兒···甚麼？···現在有甚麼辦法！顏洪
說是他再找人去問，看現在底情形，明天到底能
不能實行運動，他等一等會再給我打電話的·
··那還用說！當然他們是調查出了我們明天
的準備了，所以今天下午到處都搜查呢···
喂？···這有甚麼！他們底偵探多得很呢！當
然可以調查出我們機關的地方——哼！這些王
八蛋越來越凶了！但是他們眞在做夢！他們以爲
這樣就可以把民衆所壓住了嗎？眞是在做夢！·

—— 94 ——

國 慶 前 一 日

···囉?甚麼?···哦···唉，那個我想倒不會的。我在民報作事已經很久了，同事都不知我是怎樣的一個人，他們都以為我同普通報館裏的編輯一樣，是一個沒有甚麼思想的人。我想我總不會有甚麼危險的···

幾點鐘?——

（看錶。）

已經六六點鐘了 一但是顧洪怎麼還沒有電話呢?

（很焦躁地走來走去。）

···唉?怎麼能不急呢?不知道明天麼怎麼樣···

（忽向外傾聽，）

街上在賣特別號外！大概是說我們機關破壞的事——但是不會有這樣快罷?

（他走到窗邊伏在窗口向外喊叫。）

—— 95 ——

國 慶 前 一 日

喂，號外！號外！——幾個銅版？——好，三個，拿一張來！

（由窗外接拿了一張號外，一看不覺大驚。）

啊！奇怪！——真奇怪！你底話驗了！怎麼這樣的事竟然發生了呢？•••

（讀。）

"民報館今午被查

今午十二鐘左右突有司令部人員十餘名至民報館搜查，據云該報館匿有重要人犯。但搜查結果，一無所得，恐係該犯已聞風先遁。該報館經理亦被逮去數小時，至下午三鐘許始行釋放云。"

這——

（電鈴忽響。）

唉•••。

（接電話。）

— 96 —

國 慶 前 一 日

阿勞！阿勞！‧‧‧是的，是的，我是白甫，你是頗洪嗎？怎麼樣？‧‧‧啊！‧‧‧啊！啊！‧‧‧那麼‧‧‧走？我怎麼能？我底女人病得很厲害呢‧‧‧你馬上走？為甚麼？‧‧‧啊！啊！‧‧‧那麼——喂，那麼請你再調查一下，好嗎？‧‧‧立刻就要？確實嗎？——喂——頗洪！頗洪！——阿勞！阿勞！——喂！——

（他無法可想地丟開電話，坐倒在椅上。）

（向內室。）

哼——哼——

（無氣力地。）

是的，你底話驗了！適纔號外上說是他們要捉的要犯就是我‧‧‧是——頗洪得個確實的消息，說他們已經知道我底住處了‧‧‧說他們立刻便要到這兒來捉人呢‧‧‧甚麼？‧‧‧頗洪？他也逃了！他說我們底幹部都也被他們

—— 97 ——

國 慶 前 一 日

知道了！••你說？••我不走！你底病這
樣厲害，我怎麼走得開呢！••哼——哼—
不！——我不走！••不！——不走••

（忽然跳了起來。）

甚麼？甚麼？你千萬不要動！我聽你底話！我
聽你底話！

（奔到內室。）

（在內室說話。）

（頓聲。）

我聽你底話就是••你千萬不要動••
•我走，我走••但是讓我把外邊那些傳單
印刷品燒了再走••好，我快••我快•
••你千萬不要動！我很快的！很快的！•••

（跑了出來。）

（檢桌上所有印刷物。）

——— 95 ———

國 慶 前 一 日

但是，這個燒了眞可惜了呢●●●這個也
得燒●●●這個●●●

（跑向內室）

啊！你千萬不要動！我快！我快！

（又跑了出來。）

馬上燒……

（又跑了進去。）

我在聽你底話呢！●●●馬上●●●馬上
●●●

（又跑了出來。）

（很紊亂地掬了一堆印刷物放在地上點起
火來。）

哦，我在燒，我在燒●●●馬上就完●●●
就完——

（忽然一個劇烈地打門聲。）

啊！——

—— **99** ——

國 慶 前 一 日

（打門愈急。）

啊！ ——來●●●來了●●●這樣快●●
●就來了●●●

（打門更急。）

這——這怎麼——辦?●●●

（他在忙亂中把房中四面所有的印刷物的
紙堆一齊點起，全場立地被火烟所罩。他絕望地
茫然地揚着頭端立在烟火中間。有如受犧牲的
一個聖者一般。

（幕）

一五，十月，一九二八，夜半，脫稿

西　施

　　我是繞由蘇州囘來的。

　　我要往蘇州去的時候，非常高興。因爲蘇州是我們歷史上出名的都城。又是西施住過的地方，很值得去遊歷一次。我幻想中的蘇州是有說不出的莊嚴，是有說不出的濃豔，那兒底天都應該異樣的泛着溫柔的藍蔚、那兒底地都應該異樣的陳着一片香土。我打算去到蘇州痛快地徘徊幾天，引起我崇高的懷古的心情，接受一點創作的靈感。

西　施

我預備的是去弔一次西施，囘來以前要寫一首哀感婉豔的長詩。

不但是這樣。我要往蘇州去的時候。有人對我說：蘇州底女人是再美不過的，--到了蘇州，隨時隨地都可以看見最美的女人。我也想，像那樣負着盛名的古都，住民當然有靈秀的遺傳，這話一定不會錯誤。我以爲我去決然可以看見許多從來不曾看見過的美人，

我要去蘇州時的心境是這樣。

但是，失望，失望！第一，蘇州完全不是我想像中的蘇州，那兒只有破爛，汚穢，陳廢，荒涼，一點也引不起人流連的興會。弔西施的計劃，本來是空空洞洞的幻想，及至看見了那兒那種整個的腐敗，竟至一句詩也寫不出來。其次，到處都是貧民，小工，乞丐，跑街的妓女，所謂靈秀的遺傳，像是根本就沒有這麼一囘事。至於我能看

—— 102 ——

西　施

見的街上來往的女人。有許多窮得連衣裳都穿不完全，還講甚麼美不美呢！

所以這樣。竟使我底幻夢完全消滅，我底弔古的情懷始終未曾抬起頭來，靈感迎影子也沒有光顧過我，只是撲了一身的塵土，兩手空空地囘到了上海來。

不過，我這次到蘇州去雖然失了望，但却發現了一個很大的道理。

是甚麼道理呢？便是幻夢要同現實一致。

孟子說得好："西子蒙不潔，人皆掩鼻而過之"。這句話很可以說明幻想要同現實一致的道理。西子——就是西施——雖然是千古馳名的美人，無論是誰對她都有一種超人的幻想，可是假使眞個見了她時，她是全身的污垢，那是只有令人趕快地廻避；連看也不能多看的了。我這次去遊蘇洲，先在幻想着古代姑蘇州舊址，先在

— 103 —

西　　施

想着西施住過的名都，先在幻想着那兒種種的風流旖旎。那知及至到了那兒。纔是一片的腐敗，纔是充滿了窮苦，不怕你是一個追尋幻美的人，可是經不起現實只在你底眼前搗亂，你終歸不能不俯伏在現實底脚下了。

這層意思，要是老實地講出來時，那便是說：我們要充實我們底幻夢，須先充實我們底現實。

再進一步老實地說罷，我們底現實眞是達到破產的程度了、我所說的蘇州，不過是我們全都底一小部分，我們試把眼睛睜大來看，我們中國那一處不是破爛，污穢，陳廢，荒涼？那一處不是滿佈着貧民，小工，乞丐，跑街的妓女？我們底一切都已經破產，經濟底壓迫一天勝似一天，我們失業的量數不知增加到甚麼地步了。你說，在這樣的情形裏面，在我們底生活根本起了摇動

—— 104 ——

西　　施

的這個時期，你要去追求幻美，要去作個人的春夢，這是辦得到的事情嗎？

是的，辦不到；我們可以懺悔了罷！我們過去只在陶醉着虛無，只在製造着 mirage 和 utopia 的文藝，只在崇拜着純藝術的鍍金菩薩——完全是場胡鬧！

現在是時候了。我們要把眼光移到現實上面來。我們要作詩人，要作文學家，要作藝術家，我們就要把脚站在社會的基礎上。我們唯一的責任是要領導着大衆向改造現社會的一個正確的方向走去。

在現在，我們首先要強迫自己對於現實發生興會，我們要堅決地承認：若是我們他郤現實，便再沒有活動的所在。我們要一點不懷疑地承認這是我們底眞理。要這樣，纔能改掉已往的錯誤，纔能開始新工程。

—— 105 ——

西　施

目前住在上海的詩人，文學家，藝術家自然是很多，但是就我所接觸過的（談話上，通信上，作品上）都是些患着幻夢癖的人物。記得有一位朋友因爲傾慕十八母紀底古風，曾說要到歐洲去學比劍，意思是預備同別人爭女人時好實行決鬥！最妙的是他和另外的一位朋友底對話：

　　——…只有這樣纔是眞正的文藝家。把自家底生命獻給自家底愛人。像古時的那些偉大的詩人一樣…我這次到法國總要把比劍學一學…

　　——與其學比劍，不比學打手鎗的好。

　　——還是比劍好。決鬥時多是用劍的…

　　——那不一定，普希金同人決鬥不是用的手鎗嗎？

像這一種人物，聽去好像是我假造的一樣，其實

西　施

却是千眞萬眞。並且這種人物在自前怕也不算少數，因爲患幻夢癖的結果，只有同眼前的世界隔離，像這樣的狂態原是當然的事體。

我們要是覺得這種狂態可笑時，那我們就要趕快地轉變方向。我們看，黃浦江上排列的軍艦快要轟牠們底砲聲了。我們還在這兒胡關甚麼！我們要是眞想做些比較近人情的美麗的幻夢，眞想和自己底愛人甜蜜地接吻，那還是趕快地起來作有用的工作，無論如何，先使你底現實充實，然後再講別的，要不這樣，愛人怕終不是我們底愛人，而所謂幻夢也不過是到頭來總要感到ilnsionuement的一場夢中之夢。

我們中國是一個負着盛名的古國，我很承認；我們有過黃金時代，有過光榮的歷史，我也承識。但是這些，我們不能只去歉歔地憑弔一場便算了事。我們只像一個愛過王政時代恩惠的

—— 107 ——

西 施

軍官一樣，在懷念着過去的光榮，那更是萬分的無聊了。我們應該注意的是現在，是目前，我們沒有徘徊於幽靈的木乃伊之前的餘裕，

　　我再來說一遍：要充實我們底幻夢，須先充實我們底現實。

　　我開首在說西施，我們就不妨把西施比成中國龍：我們要是愛西施，我們就應該先使她把身上洗得乾乾淨淨！

二○十月一九二七

── 108 ──

知 道 自 己

　　我們應該傷心，十二分的傷心！我們處在這樣的一個有意義的時代，我們住在處於這樣有意義的時代的中國，我們，以文學家自命的我們，以作家自命的我們，卻不見有一篇代表時代的作品，不見有一篇代表這時代的中國的作品！

　　從前希臘古代有一句格言說道：lvwoeoeavtov 意思是"知道你自己"！這句話我們不妨用來作現在我們底格言。因為我們統統是不知道自己！

—— 109 ——

知 道 自 己

聽了我這句話，你要是反駁地說道："我怎麼不知道自己？我知我自己是人，我知道我自己是中國人"！那你便是在詭辯！那你這種不願意自省的小資產階級的傲骨，使你到死都不知道你自己！

我所說的"知道你自己"，不是要你知道你自己是人或是中國人，我是要你知道你自己是甚麼時代的人或是甚麼時代的中國人。

到底我們所處的是甚麼時代？在這兒，我覺得用不着詳細來解說，我們只須簡簡單單地一看事實便能立刻明白。我們只簡簡單單看我們中國底事實罷：帝國主義對於我們的侵略：屢次劇烈的慘案，我們偉大的罷工運動，政治上出人意料的突變，空前未有的屠殺，歷史上第一次的大暴動……——我們只要睜開眼睛去看，不知道有多少向我們說明時代的事實。我們只要睜

— 110 —

知　道　自　己

開眼睛去看，我們立刻可以明白我們是甚麼時代的人。

然而，我們不願意去看，我們一點也不願意睜一睜我們底眼睛，我們只知道作夢，我們只矜持着我們底朦朧朦朧又朦朧，不怕時代怎樣的擺在我們底面前，不怕時代怎樣的在招致我們，我們却只是不管，不管，不管！

這樣，當然我們永遠不會知道我們是甚麼時代的人，永遠不會產生時代的作品。

我們處在這樣的一個時代，許多血淋淋的大事件在我們面前滾來滾去，我們要是文藝的作家，我們就應該把這些事件一一地表現出來，至少也應該有一番描寫或一番記錄。我們要眞是以文學作家自命，那我們就應該這樣。因為一個文學作家决不是寫一寫自家底生活所可了事，也决不是唱一唱無可奈何的哀歌所可了事；

知 道 自 已

文學作家是要把捉住他底時代，是要用直觀來把時代一切偉大的事實包括在他底作品之中。這兒沒有甚麼 SPieltrieb,沒有甚麼 jendemots 沒有甚麼 inspiraton, 沒有甚麼 "為藝術而術," 這兒只有研究，只有體驗，只有下刻苦的工夫。

我們，自命為文學作家的我們,有一個最大的病症，便是不能吃苦！譬如上海這個地方，要算是最複雜的一個都會。我們要細細地考察和分析時，那我們底眼前不知道要湧現出多少刺激我們的材料:土豪,劣紳,買辦階級,資本主義走狗…應有盡有;公司,酒店,旅館,娛樂場…應有盡有;工人。苦力, 乞丐, 娼妓…應有盡有;工廠, 牢獄, 巡捕房, 貧民窟…應有盡有——真是說不盡, 說不盡! 這些材料都在我們底眼前,我們可以用來塑造種種的文學，或是曝露,

知 道 自 己

或是敍述，或是宣傳，或是煽動，任何方面都可以使我們寫出偉大的和強有力的作品出來。況且歷史上最動人的事件像五卅件等等也都是發生在上海，使我們受刺激的地方不知道有多少多少！但是，奇怪！我們常住在上海，我們所有的文學家都聚會在上海，然而不見有一篇那樣的作品！住在這樣的一個都會，我們底文學作品反而是些不成器的讚美自然和無聊的陶醉戀愛的斷簡殘籍迤。真是一椿怪事！我真不知道我們底文學家都在怎樣生活！我們底文學家都在作些甚麼！或者那些讚美自然和陶醉戀愛是我們文學家和他底愛人遊公園時所得的靈感，那麼，我們底文學家真算是健忘又健忘了呢！上海底公園是誰的？上海底公園是怎樣有的？這屑，我們倒不能不佩眼我們文學家與現實隔絕的本領了！總而言之！統而言之，我們只願個人享樂，不

—— 113 ——

知 道 自 己

顧考察我們底經會和分析我們底環境，我們最大的病症便是不能吃苦。

"吃苦罷!"我覺得在我們中間有提出這個口號的必要。

但是，我們卻要禁止傷感，禁止愁歡。我們底態態要和炭坑裏與生死奮鬥的工人一樣：除了緊張和嚴肅沒有別的。我們須得深深地懺悔，深深地反省。現在的自然已經用不着我們讚美，戀愛也用不着我們陶醉。我們今後所有的時間已經由個人的而轉變爲大衆的，由安靜的而轉變爲鬥爭的了。我們要是不想在這種時間中生活，那我們只有去死，只有去自殺。

我們已經只是朦朧朦朧，便是作夢，作夢便是糊塗。我們不曾知道我們是甚麼時代的人。我們不曾知道我們自己。

我們要吃苦!我們要知道我們自己!

一五，三月，一九二八

—— 114 ——

致法國友人摩南書

摩南(Monin)至友

　　現在正是春末夏初的時候了。這時正是去年我們在廣州分手的時候，光陰畢竟是很快的，這一年中我們幾個同人底離散和我們中國時局底變遷，都足以使人吃驚。我接到你底信一直到現在纔復，一半是我底疎懶，一半也實在因為生活不會安定，又常被病痛所苦。你是知道的，生在現在這個時代的人已經不幸，生在現在這個時代的中國人更是最大的不幸。我對你底信所

—— 115 ——

致法國友人廖南書

以遲復的原因，還望你能了解，並望你能原諒。

你寄我的報章都已收到。蒙你論列到中國現在底詩人。提出沫若和我。我底"弔羅馬"更蒙你譯成法文，並附上了註釋。沫若底"星空"也勞你很費力氣翻譯了。你對我們的這種熱心與誠意，我先在這裏給你致謝。

近來我們幾個人底行蹤都像是秋風中的黃葉，已經分散在各方了。沫若已置身政治，達夫在最近期間內因病赴日本修養，仿吾尚居廣東，我則暫留上海繼續着孤獨而流浪的半生不死的生活。回想起去年我們在廣州聚首，真是有如隔世。你大概還記得我們有一次在一座茶樓上談心，你像是完全侵達在我們中國南方——不，廣東特有的那種茶樓的趣味裏，那對於你，特別是一種異邦情調。我們爭談到那種種的問題。談到法國近代的文藝，談到中國近代的文藝，談到

—— 116 ——

致法國友人摩南書

法國最近社會思想的趨勢，談到中國最近社會思想的趨勢，談到日本，談到德國，並且談到呻吟於法國壓力之下的安南！你對於我們中國目前的革命抱着無窮的希望，你對於我們幾個從事文學的朋友也抱着無窮的希望。你曾問到我們各人自己所打算的自己生命的前途，你也曾說到你自己。你最後結束的一句話，使我至今不能忘掉，你說："無論如何，現今的時代，是革命的時代，我們都要革命！"

好的，朋友，"我們都要革命你！"你這句話常留在我底心裏，並且常使我發生着很慚愧的反省。我總覺得我是過於偏向個人的傷感方面去了，一年來我很想在我這個缺點上作一番補救工夫，近來的心境似乎比較去年時變遷了許多。這固然由於中國環境底刺激，而其實你那句話也給我暗示不少。

—— 117 ——

致法國友人麐南書

我覺得文藝家最應該注重的便是 "Now"
與"Here"。一個文藝家決不能忘記他所處的時
代與地域。固然，我們知道世界上的事物是隨着
時間變易的，世界決沒有不朽的律理；但是這個
我們卻不應該去顧慮。譬如但丁底作品完全是
以宗教的信仰作背景，中國屈原底詩中滿填着
懷念君主的單思病的呻吟，這些都是爲近代所
不容許的思想，但是但丁屈原並並不因此而失
去他們底價值。這就因爲文藝底本質是作者底
感情，不怕他所表現的思想在近代已完全過去，
不怕他所用的工具（文字等）在近代已經視爲簡
陋或已經死去，但是他底感情卻是有永久性的，
文藝所以被稱爲不朽，被稱爲超越時間空間者
也正在此。思想不過是時代底產物，我們既了解
了作家底時代，便不能因爲他底思想與現代不
合而竟抹殺到作家底本身；不但不能抹殺，反而

—— 118 ——

致法國友人履商書

爲他能代表某個時代，卻使他底價值更形增高。不過這裏所說的價值，只是歷史的價值。卽就擺倫來說，他底影響自然是很大 虞果崇拜他，維尼崇拜他，歌德崇拜他，許多許多詩人想學他。但這些崇拜他想學他的人都是因爲和他底時代相近的原故。我們現在對於擺倫卻只承認他是他那閒時代的代表者，只能承認他歷史上的價值。我們這時代所要求的革命家却決不是擺倫。擺倫式的革命詩人還不外以個人爲中心，還不外是一種英雄式的破壞者。這種思想表現出的行爲固然可以幫助希臘獨立，但也可以成 Don Quixotte 式的騎士，對於現代卻不特無益反而有害了。

處在我們現代的文藝家正應該明白自己所處的時代與地域。現代決不是個人的時代，個人的時代早已成爲過去。文學史上自浪漫派以來

致法國友人穆南書

都是個人的文學，一直到了頹廢派，個人主義算是達到了熟爛的時期，正和現在的巴黎代表最末的拉丁文明一樣。在藝術上來說，正如中國古詩人詩中所說的 "夕陽無限好，只是近黃昏"。在文藝家本身上來說，結果只是走上了"自殺"與"滅亡"的一條路。這正因為浪漫派的時代，個人主義還可以存在，像擺倫一類的人物也正可以作他英雄的事業，及至到了近代，社會已不能容許這種個人主義的行動，所以擺倫式的人物便再也不能產生，要在近代履行個人主義，那是只有在珈琲館，只有在賭博場，只有慢性或不慢性的自殺了。我們據此可以得到一個很大的覺悟，可以明白現代個人的文藝已失了牠底權威，我們所要求的是民眾的文藝家，是置身於普羅列搭利亞中的文藝家。我們願把文藝獻給民眾，去安慰他們底靈魂與鼓舞他們底勇氣；我

致法國友人摩南書

們不願使文藝被資本家或已成階級去買充作他
們底阿片烟和侍妾。這纔正是抬高文藝底價值，
並且對於文藝的尊崇要在"為藝術而藝術"的人
們以上。

我們只能認定我們底時代。我們要是顧慮
到我們現在的文藝。在將來要成過去，那也是毫
無益處的。不怕現代所要求的文藝在將來的估
價如何，但是只要我們是用真實感情創造出的
作品，那就在很遠很遠的將來，我們底作品還要
隨着我們的感情而存在。這也是現代文藝家應
該有的一種信心。

在法國現在還存在兩個文學家，亨利罷比
斯 (H.B adusse) 與羅曼羅郎 (R. Rolland)：
這兩個人在中國也常被人提起的。當我還沒有
離法國時，他們兩個仍處於極相反對的地位，我
想現在他們底態度也必定沒有變更。若依我來

—— 121 ——

致法國友人賚南書

評論，罷比斯縹是現代的文學家，他知道文藝不能脫離時代，文藝家把自己底生活與藝術合而為一他知道文藝家對於時代的重要，他更知道現在是民衆的時代，是反抗壓迫階級的時代，他確是實行作他底活動了。羅郎底思想恰恰相反，但依我看來，羅郎已經是一個在現代落伍的文學家了。他很安適的住在瑞士底湖邊，他閉着眼睛不願看現在無量數的壓迫階級，他只追想着過去的"英雄"在過着他天才崇拜者的迷戀，他一面與保守印度貴族階級的太戈兒相周旋，一面又仰慕着那用無聊的無抵抗不合作主義斷送了印度的甘地；總之他還不了解他所處的時代，他確是已經落伍的了。法國現代文藝最大的危險便是個人主義流毒很深，雖然文藝家之多正可以同巴黎地道車中那些時裝婦女的人數相比擬，但是可惜結果也只等於那些時裝的婦女罷

—— 122 ——

致法國友人盧南書

了。我以為要使法國文壇產生真正時代的作品，第一先要肅清Decadenf式的個人主義。

上面講了許多話，其實我自己還是一個空有理想的懶惰者。不過我這許多見解都是一年來所變化的，並且我可以對你說我們幾個朋友都差不多有一致的傾向；沫若不用說了，仿吾也在作着實際的工作，就是病弱的達夫也改變了他底作風了。還有如木天雖然還住在北京，但是他底思想必沒有甚麼蛻轕的。

蒙你問到我們底作品，一年來沫若出了他自己生活敍述的"橄欖"，仿吾出了他的批評集"使命"，木天出了他的詩集"旅心"，達夫卻出了他一厚冊的全集。我自己的"聖母像前"出版後，現又預備了"死前"。朋友，你知道我"死前"這個名目的用意麼？我是極力想使我一向趨向於個人傷感方面的藝術完全死去，我

— 123 —

致法國友人廖兩書

在希望我底新生。所以我這書中的"遺囑"曾
說：

　　最好能到我墓前常逃我死前的疲倦，

　　　好使我，更我常在墓中感着悔恨，不安。

朋友，我請你，請你希望我死罷！

你底朋友

王獨清

二○，五月，一九二七

五月二十日譯出

—— 124 ——

新 的 開 場

一

　　時期到了，我們要切實努力於我們藝術底解放的時期到了！

　　目前，在這種混亂的狀態之下，個人主義底妖氛正迷漫着我們底大陸，我們底一切都快要被這種空氣所窒死，我們底藝術也被加上了重重的桎梏而不能有一步的前進，

　　我們認淸了藝術底職務是要促社會底自覺，藝術決不能爲少數者所私有，決不能只作少

— **125** —

新 的 開 場

數特權者底生活和感情的面銳。我們認清了藝術若不去到多數者底大隊裏面牠底根本便不能成立。

所以,在這個重大的時期,我們要切實努力於我們藝術底解放!

二

時期到了, 我們要從藝術中解放的時期到了!

這是無容諱飾, 過去我們多陷於一個錯誤的深淵裏:我們曾經把藝術當作了一個泥塑的菩薩,在所謂藝術至上主義的聲浪中, 我們曾作過些無意義的膜拜。

這個是因為被一向排斥多數者底藝術底本質所迷惑,結果自然成了藝術底奴隸。我們現在的要求是要破壞那種藝術底本質,要使藝術來隸屬於我們底生活而不要使我們底生活為藝術

—— 126 ——

新 的 開 場

所隸屬。

所以，我們要努力於藝術底解放，還得努力
使我們從藝術中解放出來！

三

但是，我們目前的世界已經分裂成了兩個
整個的團體：一個是在盡性地搾取，一個是在血
淋淋地苦鬥。這兩個團體底激戰將愈進愈猛，而
決沒有一定可以融和的餘地。

在這血淋淋地苦鬥着的陣營中的我們，聲
要奪回我們被剝奪的自由，恢復我們被壓禁到
呻吟地步的言論，要把我們底屈辱除去。要使我
們有新的生活底到臨。

在這兒，我們底藝術有一個新的開場了。

"那不是解剖刀而是武器。"這句話我們便
用來作了我們今後藝術底製作的唯一信條！

四

——— 127 ——

新 的 開 場

　　我們要切實努力於藝術底解放，我們要努力使我們從藝術中解放出來，我們要把藝術作為我們苦鬥的武器 — — 我們有一個新的開場了！

　　　　　　　　（爲“創造月刊”作）

'明天' 讚 禮

現在我們已經再沒有別種希望，別種冀求了！我們只有熱烈地，純一地盼企'明天'底來到！

我們試睜開眼一巡視我們底四週，我們將要怎樣地感覺着苦痛和悲憤！

這是千眞萬眞的，壓在我們四週的只是一屑黑暗。並且，這黑暗底力量足以把我們吞蝕，伐殘。我們受害而死的巳經是不知道有多少

—— 129 ——

‘天明’獻禮

了。

在這恐怖的黑暗之中，這深夜一般的黑暗之中，你說，能不能有一線‘明天’的光火呢？

能有的，要是我們自己情願。

這就是說：要我們自己起來！這就是說：要我們自己起來和這黑暗奮鬥！

啊，起來！起來列起我們衝戰隊！

啊，起來！起來叫起我們底口號！

啊，起來！起來奏起新時代的宏歌！

啊。起來！起來開闢唯一真理的大道！

啊，起來！起來！起來！起來趕走這夜黑暗，使‘明天’底光火照耀得黃河揚子江成二幅巨大的赤流！

這世界終歸要受真理底洗禮的。聖潔的世界底降臨就在‘明天’，我們熱烈地 地企盼‘明天’底來到！　　　　（為“勝利”作）

煆煉

王獨清　著

光華書局（上海）一九三二年六月出版。原書三十二開。

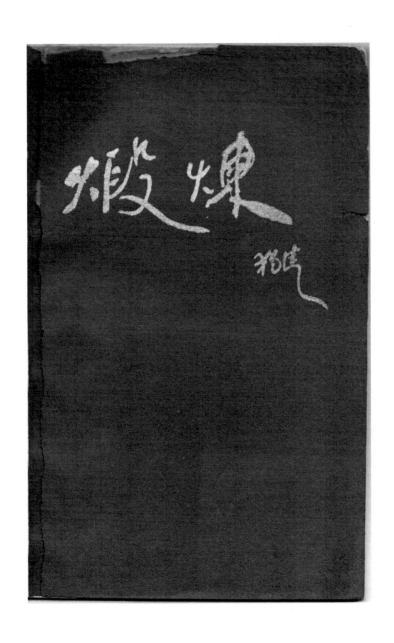

一 九 三 二 年 六 月 付 印
一 九 三 二 年 六 月 出 版

1——2 0 0 0 册

煅　　煉

目　次

〔1〕

改　變

我沒有時間，沒有時間，

沒有時間再和你們糾纏！

你們底無聊和傷感，

可惜我也再不能慰安！

我本還想保持我底情緒纏綿，

[1]

給你們再寫幾首溫柔的詩篇，

可是我底情緒巳經改變，

那種言語再也不能上我底筆尖。

別了，朋友，我再沒有時間！

沒有時間再和你們糾纏！

你們愛好的頹廢，浪漫，

巳經是，巳經是和我絕緣，

我不是詩人，請你們再莫誇讚，

至少對於你們，我是再不能慰安。

要是我真是詩人，那就再讓我煆煉，

煆煉到，我底詩歌能傳佈到農工中間！

〔 2 〕

你 們 說 · · ·

你們說我是走到絕路底頂邊，

說我一點不顧自己底安全；

並且你們說我不會再有詩歌，

因爲我優美的情感都巳枯完。

朋友，這的確——然哉！然哉！

〔3〕

我沒有在我底安全上想來。

可是我有個你們想不到的滿足！

時代底波浪常在我胸頭澎湃！

我要使我底生命，——不管牠怎樣的短促！——

要使牠淨化，淨化，奔向遼遠的前途。

要使牠好像陽光下的春雪，

化爲不可阻止的滔滔洪流。

我底情感，那却是永遠的新鮮，

我敢說，永遠像五月底花瓣一般，

我要用我不老的春風永遠護持，

永遠要開向新開闢的人間。

我底詩歌（雖然是改變了音腔）

會不斷地在空氣中蕩漾，

〔4〕

牠將生起了行動的雙腳，

勇猛地走向時代底前方！

我底詩歌：牠將是汽笛底哄笑，

牠將是苦力底動人的叫號，

甚至牠將是烈火底怒吼，

要把舊世界全部燒焦……

朋友，我巳經是這樣的決定，

你們再不要，不要爲我勞心。

你們底勞心並不會引起我底感謝，

因爲你們巳經成了，——成了，成了我底敵人！

[5]

要是我被人捕去時

要是我被人捕去時，朋友，

望你把你那仰慕革命底熱血

蘸上你能夠運用的筆頭，

給我，寫一篇我生活的記錄。

那時我或者敵人用皮鞭抽打，

〔6〕

偃臥在黑魅魅的獄中；

或者被人牽到了刑場，

隨着槍聲倒下，再也不動。

那便是我工作結束的時節，

我應盡的義務便算盡完，

我將要含笑地休息而去，

最後的心中會感着莫大的慰安。

我決定了的命運便是這樣，

這命運使我像乞丐般的孤獨，赤窮。

因為，我放棄了我自身底安全，

我眼前只有未來勝利的光輝：通紅。

我底血液得用去點綴那通紅的光輝：

就是這信念，逼得我只是前奔。

〔7〕

等到我底前奔的行程停止，

那便是我最後慰安的時辰來臨……

要是我被人捕去時，朋友，

你千萬把你仰慕革命的熱血

蘸上你那靈活的筆頭，

給我，給我寫一篇生活的紀錄。

[8]

偉大之死

給 K. Y.

啊，你這柔弱的多病的女子，

聽說是已經被人捉去，

在一個天纔要黎明的時辰，

你完成了你最後的偉大之死。

現在，你是在那野地上橫陳，

〔9〕

當然是，沒有一個人敢去過問！

你那生來的革命熱血，

已經隨着你底生命流盡。

朋友，八年前我們是會面常常，

你底容貌還留在我底心上：

你有一頭剪短了的黑色頭髮，

你有一副沉靜的蒼白面龐。

你對人的態度是十分的誠懇，

你談話的口齒是十分的清眞，

你好學的心情是永遠不倦，

你老早就有了革命的決心。

八年來聽說你經歷了許多痛苦，

但是你，卻總是奮鬥不休。

〔10〕

你是只要你脆弱的生命一日存在，
總要為我們被壓迫者爭持自由。

朋友，現在你底生命是已經告終，
可是你底精神，永遠使我們感動：
聽說你死前經過無數次的審判，
你臨死時的態度是異常的從容。

去罷，你底丰神！你底言談！
你總算，償了你不朽的心願！
我知道我們無數的兄弟姊妹，
定要繼續來把你底工作做完…

啊，你那樣柔弱的多病的女子，
竟然也被人設法捉去，
是在那天要黎明的時辰，

你完成了你最後的偉大之死。

〔11〕

Der Schrecken

唵，只是一年的，一年時光，

許多，許多，許多都變作了死亡！

你要是一個一個地去數，

你底精神呀，定會發狂！

他們，有的是被人用皮鞭打死，

[12]

有的是頭顱被人用刀鋸去，

有的是隨着槍聲倒下，

是連死屍都早已遺失，早已遺失。

聽說他們臨死時衣服都被剝盡，

反背着兩手，在街上遊行，

背上插着斬犯標記的白旗，

白旗上寫了假的姓字，假的罪名。

後來又聽說不費這些周折，

他們只被載入在無數的貨車，

只被載到了一個僻靜的，僻靜的地方，

一個一個地被人砍下頭來便算完結。

這恐怖，就這樣無情地到處占據！

這慘白的犧牲，只見在，只見在不斷地繼續！

〔13〕

那些可敬的人們都給填了這瘟疫的空間，

並且還有許多在等着和他們同去⋯

唉，只是一年的，一年的時光，

他們都迅速地變作了死亡！

你要是一個一個地去數，

真的呀，你底精神定會發狂！

〔14〕

壯偉的離別

現在四圍已經稀少了人聲，

只有電燈還奪取着馬路上的黑影。

我與你，在電車道旁站定，

默默地好像在互相發怔…

但是我卻並沒有一點兒傷感，

只被這壯偉的離別逼得全身震顫競競！

[15]

你底眼光來和我底眼光相觸，

好像是有許多言辭不能說出。

可是你要說的言辭，我是完全，完全會意，

你是要說：征服罷，我們底痛苦！

我們底痛苦，應該被這偉大的使命征服！

是的，我們這狠短的一生，

只有用去作有意識的革命鬥爭。

我們是應該彼此在互相激勵，

要把自己底意志堅持，把定，

不為這，個人間無聊的情感犧牲！

分別罷，現在是時候已到，時候已到！

在這南京路口分別，我們都感着了意義底嚴肅，

　　重要：

　　　　「16」

這正是三年前帝國主義殺人的屠場，

這兒——我們就在這兒分別，記牢！記牢！

都不要忘記了，忘記了分別後彼此努力的目標！

黑奴的巡捕不停地在向我們注看，

資本家底汽車不斷地過着我們面前……

目下暫且讓他們去罷，去罷，

——這世界終不歸他們領管，

他們屈服在我們底 下總在不遠的一天。

現在是時候已到，前進！前進！

這壯偉的離別使我底全身震顫競競！

現在夜是已經深沉，

我們底話也都說盡。

最後，都只準備再見的時候，

準備再見的時候看彼此所負的使命，有幾分之幾

　　的完成！

〔17〕

Fête Nationale

今日，聽說是我們光榮的日子，

聽說17年前建設國家就是這個時候，

今日市黨部傳來了政府底命令，

要全市都一致地掛旗，慶祝。

可是在這全上海市底慶祝聲中，

[18]

沒有人注意到白渡橋邊，黃浦灘頭，

你們且注意注意這兒罷：

在這兒，所謂光榮的日子，是，一點也沒有！

這兒，只有一隻一隻運煤炭的木船，

這兒，只有苦力在煤炭上休憩，行走，

這兒，只有來往運貨的呼號，呻吟，

這兒，只有紛亂的，不斷的奔波，忙碌。

唵，光榮的日子，建設國家的光榮的日子，

到底，到底於這兒底這些人們何有？

政府底要人都在汽車中一隊一隊地過去，

可是這些人們，只有死守在這白渡橋邊，黃浦灘

　　頭！

今日，果然是，比較17年前情形不同，

〔19〕

果然是，換了局面，換了要人，換了政府，
不過，這兒底人們卻沒有一點兒變換，
還是和17年前一樣：這樣呼號，呻吟，這樣奔波
　　忙碌……

總之今日，是我們光榮的日子，
17年前建設我們底國家，便是這個時候，
我們都遵行着政府底命令，
都在一致地，掛旗，慶祝。

唵，但是總沒有人注意到這白渡橋邊，黃浦灘頭！

上海底憂鬱

其 一

你們信也不信，

這兒有驚人的奇蹟生出？

這一邊不斷的汽車底喇叭 在嗚嗚震嗚

滿了電火的洋樓高大得你仰視時頭會發昏

這一邊卻是一排很矮的瓦房，──看準，只有

[21]

層！——

面點着些黑暗的無光的油燈；

門前底地上聚着有一堆人影，

——唉，人！那裏是人！不過是這樣的一羣！——

像是在蠕動着做些甚麼，又像是在隱隱地發出些

　　呻吟……

啊，奇蹟喲，奇蹟喲，——你們信也不信？

這一邊是巴黎，倫敦，

這一邊是埃及，耶路撒冷！

這上海，這上海就是靠這奇蹟，在維持着牠底生

　　存！

其　　二

兄弟們，拖呀，拖呀！

一條長繩套着你們底赤肩，

你們拖着幾條笨大的木頭，蹣跚着向前。

〔22〕

兄弟們，拖呀，拖呀！

汗水是流遍了你們底全身，

你們底氣也喘得是上下不相接連。

兄弟們，拖呀，拖呀！

這些木頭是爲那個資本家去建築公司，

還是爲那個偉人去修蓋公館？

兄弟們，拖呀，拖呀！

你們瞧那由你們身邊駛過的汽車，

內中坐的闊人連你們看也不看！

兄弟們，拖呀，拖呀！

這世界可真反了：修房屋的人儘管這樣拖着木頭，

住房屋的人卻每天在汽車中安閒。

〔23〕

兄弟們，拖呀，拖呀！

這奴隸的長繩終勒不死我們底憤火，

鋼鐵般的體骨却只有愈磨愈堅。

兄弟們，拖呀，拖呀！

這今日底血汗窩換的是勝利的明日，

明日，便是那般坐汽車的人跪拜我們的一天。

兄弟們，拖呀，拖呀！

這馬路，這洋房，都莫不是出自我們底手裏，

我們底志願便是：要把我們手造的一切，一齊收

　　還！

其　三

我們好像是在被人軟禁，

失了我們自由的行巡。

我獨行在這暗夜街頭，

〔24〕

我底心中是悲憤，不甯。

前日聽說他們下了逮捕命令；
昨日聽說他們派暗探跟隨不停；
今日又聽說他們要大大地搜查，
要把這兒住家挨戶地搜查一陣。

我踏着這暗夜底黑影，
我底情緒怎麼是這般紛紜！
這法西斯蒂底惡毒勢力，
難道眞要把我們吞滅淨盡！

不久以前曾有同志幾人，
被他們捉去打死在獄中；
最近又捉去有男女數十，
一個一個都不知所終。

〔25〕

這樣，就是我們底命運。

我們這決定了的命運是再也不能變更！

我們都像等待着那恐怖的時候來到，

那時候，不知道是今晚，還是明晨！

暗夜底景色越見是沉悶，

我底步履也疲勞得失了從容。

還四圍底空氣在把我緊緊地重壓，

我底呼吸都像是在窒息不通。

唵，那兒又在佈滿了武裝巡警，

正在把持着路口，監視行人。

不過，還是衝上去罷，橫豎已經被人軟禁，

我再也不能忍受，這失了自由的生存，失了自由

　　的生存！

〔26〕

滾開罷，白俄！

滾開罷，白俄！乞丐的白俄！

我不知道怎樣稱呼你們：

從前的——皇子，皇孫，

或是王公，大人，

或是公爵，伯爵，親王，將軍……

滾開罷，你們這些過去的幽靈！

[27]

唵，滾開罷！

我們底同情心本是非常充分，

可是獨對於你們却是沒有一點同情！

因為你們底同情從來便沒有給我們用過一分一

　　　寸，

你們從來只知道用我們作你們快樂的犧牲……

我們對你們是只有憎恨，只有憎恨，

滾開罷，再不要做出這可憐的模樣來誘惑我們！

滾開罷，再不要在這馬路上這樣徬徨！

你們落伍了的雙脚會把這新時代的馬路弄髒！

這馬路，——這馬路，是費了許多我們兄弟們底

　　　勞苦生命，

這馬路，是用我們兄弟們底血汗造成，

這馬路，是要留着為我們羣衆大會底羣衆踏着前

〔28〕

進，

這馬路，是要留着爲我們來做革命的示威遊行，

這馬路，是要留着來散布我們底傳單，宜言，宜
    傳品，

這馬路，是要留着來傳播我們狂熱的口號底聲
    音，

這馬路，……——總之這馬路是我們的，我們的，
    我們的！——決不容你們在牠上邊這樣徬徨。
    這樣徬徨，這樣徬徨！

滾開罷，滾開罷，你們這些白俄，白俄流氓！

滾開罷，再不要這樣向我們伸出你們底兩手，

不要這樣涎着臉儘站着不走！

唵，你們底手，——你們底手剝盡着有舊社會倒
    霉的命運，

你們底手染着有舊世界污穢的灰塵，

[29]

你們底手曾經在墮落的，奢侈的賭博場中作過沒

有工作的鬼混，

你們底手曾高舉過淫蕩的酒杯，祝過你們底皇帝

主人，

你們底手曾指揮過勞苦的兵士，強迫他們為你們

去拼命，

你們底手曾握過野蠻的皮鞭，不停地去打工人，

去打農民……

唵，你們底手，你們底手，你們底手，——不要

再伸出了罷，你們這些可恥的手，罪惡的手，

有凶犯烙印的手！

還是滾開罷，滾開罷，你們這些狗－般的白俄，

——哦，狗！你們這些白俄老狗！

滾開罷！

這兒有的是：正準備着罷工的同盟，

[30]

這兒有的是：正準備着把反動的勢力肅淸，

這兒有的是：革命，革命，革命，

這兒有的是：爲未來普遍的血紅顏色奔忙不停…

總之，你們沒有在這兒生存的可能，這兒也不許
　　你們生存！

還是滾開儘管作過去的迷夢去罷，你們這些腦筋
　　生了黴菌的廢人！

總之——總之滾開罷，乞丐的白俄！

從前的皇子，皇孫，或是王公，大人，

或是公爵，伯爵，親王，將軍……

——我，我索性就這樣來稱呼你們！

我來再說一遍：滾開罷，你們這些已死的時代中
　　的幽靈！

[31]

新 戀 歌

若是你心中真有塊煤炭，

那便得要我來把牠掘了再搬。

可是我這個力氣呀，

是學自那工廠底機器旁邊：

那兒，正在動着我們底世界，

那兒，正在轉着我們底明天……

〔32〕

我們要是眞有飛躍的相思，

那應該是革命，而不是——浪漫！

若是你心中眞有塊煤炭，

那便得我心中的火把牠點燃。

可是我心中的火呀，

是取自那工廠底火爐旁邊：

那兒，纔能爆出我們底世界，

那兒，纔能燒出我們底明天……

我們要是眞有飛躍的相思，

那應該是革命，而不是——浪漫！

[33]

送　行

奪人的清晨罩滿了街衢，

你要趁這時光爲我們底工作去馳驅●

這停泊的很小的輪船，

竟要載着你偉大的使命而去。

陽光是這樣閃着希望，

雖然目前的上海總有些憂鬱……

〔34〕

啊，我底舊友都分裂完了，

現在只剩到你一個，朋友！

不過我們要努力爭取革命底前途，

少數是沒有甚麼要緊，

只要我們底主張是代表多數！

滿江上汽笛儘管在嘶嘶，

我們底聲音就在這大的哄笑中消失。

你看這些苦力底叫號，

好像給我們說明未來的大事。

我們站在這黃浦灘頭，

應該得到新時代顯明的啓示……

啊，我底舊友都分裂完了，

現在只剩到你一個，朋友！

不過我們要決心爭取革命底前途，

少數是一點也不要緊，

〔35〕

只要我們底主張是代表多數！

〔36〕

清道夫歌

掃罷一帶又一帶，

快要凍僵了我底手。

冷風儘向我臉上吹，

吹得我底滿臉上都是士。

　　我底媽呀，

我底全身在發抖，全身在發抖。

[37]

掃罷一帚又一帚，

太太們在我面前走，

高跟鞋儘管登登登，

裹着皮袍的屁股只是扭。

　　我底媽呀，

有誰知道我底苦，知道我底苦？

掃罷一帚又一帚，

灰塵只是在向我撲。

我們把這兒掃乾淨，

爲的是好使他們來閑走！

　　我底媽呀，

我們一天一天瘦，一天一天瘦！

掃罷一帚又一帚，

　　　　　　〔38〕

資本家汽車鳴鳴鳴，

真好像和我開玩笑，

就給我這樣揚了一身土。

　　我底媽呀，

他們給我這報酬，給我這報酬！

掃罷一帚又一帚，

街頭上站的有巡捕，

盒子砲掛在他腰間，

簡直就完全像是一木偶！

　　我底媽呀，

木偶和人作對頭，和人作對頭！

掃罷一帚又一帚，

越掃越使人要發怒。

他們住的是好洋房，

〔39〕

我們卻是在這兒儘受苦。

　　我底媽呀，

我們生活眞像狗，生活眞像狗！

掃罷一帚又一帚，

想來想去只一條路：

只有去打倒王八蛋，

一切的××拿來作公有……

　　我底媽呀，

我們總得這樣做，總得這樣做！

〔40〕

少　年　歌

年紀小，

恰正好！

你看眼前這世界，

弄得簡直一團糟！

趕快起來努力幹，

把這世界來改造！

　　　　　　〔41〕

好好好，

向前跑，向前跑！

年紀小，

恰正好！

你看多少可憐人，

一天到晚吃不飽。

起來起來努力幹，

快給他們搶麵包！

好好好，

向前跑，向前跑！

年紀小，

恰正好！

你看那些假偉人，

甚麼事都不知道！

〔42〕

努力起來決心幹，

不許他們再胡鬧！

好好好，

向前跑，向前跑！

年紀小，

恰正好！

你看工人一身汗，

闊老肥得不得了。

努力努力起來幹，

快把壞蛋去打倒！

好好好，

向前跑，向前跑！

年紀小，

恰正好！

【43】

你看一切是這樣，

只有鬥爭纔可靠！

快幹快幹趕快幹，

時候時候已不早！

好好好，

向前跑，向前跑！

[44]

零亂章

王獨清 著

樂華圖書公司（上海）一九三三年八月出版。
原書三十二開。

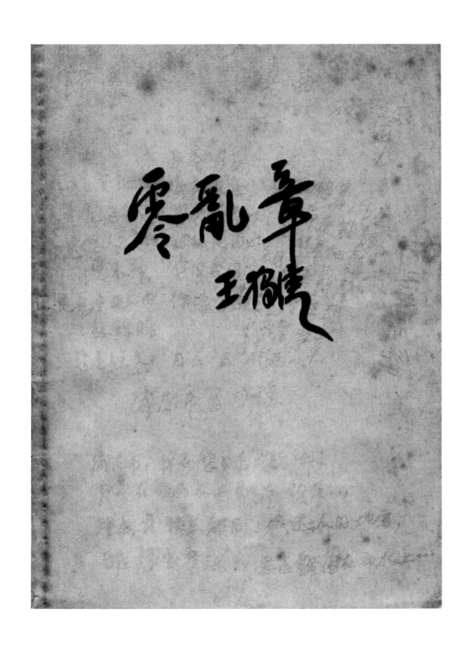

創作叢書

零　亂　章

王獨清著

上　海

樂華圖書公司刊

1933

"零　亂　章"

不准 ∞c 翻印

1933　7　25 付排

1933　8　15 出版

1——1500

實　　價

每册大洋二角五分

弁　言

P，這兒我這些舊稿多半是你翻閱過的。你翻閱牠們的原因是爲批評我底過去，爲激勵我底未來。

P，你是我生平的畏友之一，我確然受你底激勵不少。

現在當你受難的時候，我偶然檢出了牠們，我還好像看見你那表露着堅強精神的面容來到我底眼前浮動。

我決然把我這些零亂的陳迹公開了出來，表示我還在紀念着你。

詩是沒有多少價值的，但是因爲你曾翻閱過的緣故，竟使我覺得牠們可以和人見面了。

獨　清

一九三三年六月末日

〔1〕

目　次

〔1〕

〔2〕

零 亂 章

但 丁 故 鄉

一

明媚的海波喲，你導我前行！
我看見你是，是那樣的清澄！
我恨不得跳在你底懷中，
把我這罪惡的身子洗淨，
然後呀，再去拜訪但丁！

二

我在"天國之門"上纔輕輕地敲了幾敲，
我便覺得我變得是異常的弱小：
堵石是這樣的又堅又牢，
我卻禁不住提輕了我底步調；
門樓是這樣的又大又高，
我卻又禁不住折着我底前腰。
啊啊，我要進"天國"了⋯⋯

〔 1 〕

我不曾看見San Giovanni，

我好像看見了但丁在門中端立。

哦，我底但丁喲，

你可是成了這兒底上帝，

要我來受你底洗禮？

我不曾看見San Giovanni，

我好像看見一個持斧的大匠守在門側。

哦，季貝諦喲，

你能不能把你創造的偉力

分一點給我這弱小的後輩？

三

我只是在向上直登，

登向這鐘樓底高頂：

心中是在充滿着巡禮者底熱誠，恭敬，

我簡直好像是一個跋涉取經的唐僧！

我只是在向上直登，

〔2〕

登向這鐘樓底高頂：
我是寧可來把我底兩腿都登痛，登痛，
決不負焦朵使我看這兒全城的苦心！

啊啊，我看見這養育天才的全城在我眼底下閃
　　動着牠底光輝，
我不知道怎樣纔表示出我血液底沸騰，神經底
　　顫慄！
我只想一翻身跳了下去，就把我底身子這樣摔
　　碎，摔碎，
好化在這，化在這天才之城底微塵裏，微塵裏，
　　微塵裏！

四

哦，自豪的情緒是怎樣的在漲着我底胸懷，
我竟能在這有悠久歷史的古宮之前徘徊！
我覺得這高大的石樓是在和太陽接近……
我覺得這些巨大的雕刻都在向我笑迎……
我覺得我是踏進了過去的另一世紀……

〔3〕

我覺得我眼前湧出了已死時代中的陳迹⋯⋯

我覺得這兒充滿了能夠創造的人類底光榮⋯⋯

我覺得這橋下的河水都被這光榮壓得已經不能

　　流動⋯⋯

哦，自豪的情緒是怎樣的在漲着我底胸懷，

我竟能在這有悠久歷史的古宮之前徘徊！

五

我纔把Santa Croce底門前走到，

忽看但丁高立在雲表。

　　哦，但丁喲，

你頭戴軟帽，

你身披寬袍，

　　你手中緊握着一本"神曲"，

你帶怒的雙目望着這下界的牢。

　　我好像覺得四面的狂風突起，

我好像覺得無窮的大海翻濤，

　　那裏像有人在哀哭，

那裏像有人在慘號⋯⋯

〔4〕

唉唉，我正是個應該入Inferno的人喲，我底但
　　丁喲！

我要把我悔恨的淚潮
向但丁咽着默禱：
　　　哦，但丁喲，
我固然墮落很早，
我固然犯罪不少，
　　　但我卻是想終身受苦，
並不想上那Paradiso……
　　　我願在這陰牢中常住，
與一切囚類結交。
　　　你這個知路之人
可能作我底前導？
唉唉，我底全神經都像要跟你去喲，我底但丁
　　喲！

六

　　鐘聲蕩，

〔5〕

婀僑河

綠波漾。

鐘聲蕩，

老橋背

蒼黃像。

鐘聲蕩，

教堂頂

浮天上。

鐘聲蕩，

全城市

動一樣。

鐘聲蕩，

鐘聲蕩⋯⋯

噹，噹，噹，

噹，噹，噹，

噹，噹，

噹⋯⋯

蕩，蕩，蕩⋯⋯

〔6〕

叫　　海

Oáyarra, Oáyarra.

啊，海，澎湃的大海！

快使我忘去那使我倦怠的悲哀！

就儘管這樣孤獨地飄泊，

終久只是受辱，失敗；

過去那些最熱狂的歡樂，

一概是再不能收囘……

我自己還有甚麼未來——還有甚麼應該希望的

未來！

但是，但是我願暫時忘去我這爲自己的悲哀，

海，澎湃的大海！

啊，海，澎湃的大海！

快使我忘去那使我倦怠的悲哀！

努力創造下的壯業，偉功，

時間一過，永不存在：

〔7〕

所有已往可誇耀的光榮，

現在都是殘土，餘灰……

這人類還有甚麼未來——還有甚麼應該希望的

未來！

但是，但是我願暫時忘去我這爲人類的悲哀，

海，澎湃的大海！

〔8〕

死 的 沉 默

就讓這死的沉默把我緊守，
就讓我對你這樣閉起了口，
就讓這種顫慄來使我身上發抖……

你底這像愁雲一樣的頭髮，
就來把整個的我完全壓下，
壓住我所有的願望和我底國家……

我底心頭總是這樣的沉重，
時間也是這樣的停着不動，
鐘聲卻來把空間都振出了病容……

你底眼中是藏着一段悲歌，
你底唇邊刻畫着夢的輪廓，
你使我失掉和外界的不能調和……

這燈光在受着深夜的壓迫，

〔9〕

在慢慢地褪變了活的顏色，
使人覺得周圍像昏黃又像蒼白……

唉！死的沉默……死的沉默……死的沉默……

〔10〕

羅 馬 斷 章

〔第一〕

我在這千餘年來的灰燼瓦礫之中來回地躑躅，
千餘年前的幽靈也像是在來和我接觸：
奈羅，加里巨拉，都像是逃出了他們底墳墓，
都在我眼前來現出了面目……
啊啊，你西方的桀紂，你西方的桀紂，
你們總要使人類爲你們底名字一直戰慄到地球
　　破滅時候！

〔第二〕

這沐浴之場，
就這樣的宏壯！
我兩眼噙着哀悼的熱淚，
俯着身去嗅這 Decadece 底溫泉餘香……

〔11〕

〔第三〕

你這像蒂白河水的明眸，
洗淨了我心頭的無限煩憂，
可是我只想把全身都睡了進去，
一直沐浴到，沐浴到死時方休……

這兒是有光榮歷史的地方，
正和我出生的長安一樣：
我所以肯守在你底身邊不走，
就因爲你底故鄉也是我底故鄉……

但是你負着一個憂愁的命運，
你要用今日底鎖鏈去牽引明日底太陽，光明；
你不把倩影送給這兒古老的殘照，
你青春的感情是眞正的現代底動律的感情！

〔12〕

威尼市的囘憶

威尼市，我心愛的第二故鄉！
我曾在那水上飄蕩，飄蕩……
現在，我雖然離開了那迷人的地方，
可是，我底靈魂卻總還飄蕩在那水上◄

〔13〕

你　唱⋯⋯

啊，你唱，你唱，你唱，
你使得我這樣的盪氣迴腸！

你唱出的音波，
好像是一個在追着一個⋯⋯

你唱出的聲韻，
好像是春天底濕雨淋淋⋯⋯

你唱出的情調，
好像是快要落去的夕照⋯⋯

你唱出的顫蕩，
好像是落在水中的月光⋯⋯

你唱出的明淨，
好像是少女水汪汪的眼睛⋯⋯

〔14〕

你唱出的矇矓，
好像是冬天底霧氣濛濛⋯

你唱出的顏色，
好像是美人額間的蒼白⋯

你唱出的溫柔，
好像是春風吹在春水波頭⋯

你唱出的感情，
好像是愛人間真正的哭聲⋯

你唱出的沉悶，
好像是天氣陰沉的黃昏⋯

你唱出的悲哀，
好像是在故鄉廢墟中徘徊⋯

〔15〕

啊,你唱,你唱,你唱,
你使得我這樣的盪氣迴腸!

〔16〕

來夢湖的囘憶

來夢湖！來夢湖！
我永不忘我和你接近的時候！
那時候，我是一個做着幻夢的少年，在浪遊，浪
　　遊，
你，給了我無限的情緒，——憂鬱，溫柔。

來夢湖！來夢湖！
我永不忘我和你接近的時候！
那時候，我好像是個無藉的人，眞是一無所有，
我那些流落的哀愁，——都，投在了你底波頭。

〔17〕

泣 濃 獄

一

湖水儘管是這樣的溫存，

風儘管是這樣的醉人，

可是，這兒人類底恥辱，這湖水卻總冲洗不淨，

這兒歷史上的罪惡，風也吹不散牠底餘腥……

這發着悠久的暗光的鐵門，

不知道鎖死了多少鬥爭的生命；

這豎在空中的石砦，屋頂，

不知道壓碎了多少爲大衆犧牲的忠魂……

雖然這兒四圍是充滿了無限的甯靜，

但是這兒從來卻，不曾駐留過眞正的和平……

啊，風就儘管是這樣的醉人！

湖水就儘管是這樣的溫存！

二

我想起了揚子江上的雨花台，

〔18〕

那周圍也是山明水秀得可愛，
可是那兒底山上的石頭片片
渲染着志士底碧血永遠不乾。
你這座同樣出名的古宮泣濃，
也在可愛的山明水秀底當中，
可是在你這無情的石牆以內
也永遠地留着英雄們底熱淚。
唵，可愛的山水就都一樣，一樣，
都在埋藏着，人類底悲哀，悽愴！

三

來夢
　　明淨
溶溶，
泣濃
　　倒影
水中，
和風
　　輕輕
〔19〕

吹送，
閃動
　波鏡
朦朧，
牢宮
　破成
飄蓬……

〔20〕

夜　　聲

空中飛着流星，
四圍都是寂靜。
我在側耳細聽，
聽見夜底顫聲：
那是一切生命，
所有希望，榮幸，
所有歡樂，愛情，
都在過去輕輕，
不停，不停，不停……

〔21〕

話

你給我說的話，
被風吹向天涯，
吹到那個幽靜的海峽。

你給我說的話，
被風吹向天涯，
吹到初出的太陽光下。

你給我說的話，
於是被海水冲洗得異常光滑，
於是被太陽染成了片片紅霞⋯⋯

哦，你給我說的話，
就這樣被風吹向天涯！

〔22〕

月　光

Per Amica Silentia Lunœ.

(Vergilius)

月兒，你向着海面展笑，
在海面上畫出了銀色的裝飾一條。
這裝飾畫得就眞是奇巧，
簡直是造下了，造下了一條長橋。

風是這樣的輕輕，輕輕，
把海面吻起了顫抖的歎聲。
月兒，你底長橋便像是有了彈性，
忽高忽低地只在閃個不停。

哦，月兒，我願踏在你這條橋上，
就讓海底歎息把我圍在中央，
我好一步一步地踏着光明前往，
好走向，走向那遼遠的，人不知道的地方⋯⋯

〔23〕

月　光　曲

月亮，月亮，
落在水上。
我想來看你兩眼，
你卻把面孔一板。
突浪，突浪，突浪，
你像一個和尙。

月亮，月亮，
落在水上。
我想來把你撈起，
你卻忙鑽向水底。
突浪，突浪，突浪，
你像一個姑娘。

〔24〕

追 Mirage 歌

（讀拉馬丁底''Jocelgn''以後）

唉，人間是怎樣的苦惱，
我要借生命未破時冒險而逃！
這茫茫的地球，可能讓我尋找，
尋找個幽靜的去所是人跡不到？
那怕那兒底山路是或低或高！
那怕那兒底冷雪是連夜連朝！

只要我和愛人同住在那山上，
那雪山，便是，便是天堂！
並且她是個頂美貌的女郎，
並且她是個最專情的姑娘⋯
從此世界上好像只有我們倆，
就任光陰呀，一年一年地如流水一樣！

〔25〕

能　　唱

你底頭髮，你底頭髮，——
你底頭髮是在閃着波浪，
裏面好像滿藏着溫柔，又滿藏着憂傷……
哦，我覺得你底頭髮呀，能唱，
　　你底頭髮呀，能唱……

你底眉毛，你底眉毛，——
你底眉毛在給人訴說着失望，
是這樣迷人的活動，這樣迷人的又彎又長……
哦，我覺得你底眉毛呀，能唱，
　　你底眉毛呀，能唱，

你底眼睛，你底眼睛，——
你底眼睛好像有許多故事要講，
那故事好像有一種會使人落淚的淒涼……
哦，我覺得你底眼睛呀，能唱，
　　你底眼睛呀，能唱……

〔26〕

哦，能唱，能唱，能唱……
你底頭髮能唱，
你底眉毛能唱，
你底眼睛能唱，
——但是你底口呀，郤總是閉着不響！

〔27〕

火 山 下

弔馬麗亞

我對着這傾陷過滂貝邑的火山，
在想着你要爆發人類火山的女傑底容顏。
我幾乎不相信像你那樣的苗條，病弱，
卻是，卻是爲自由和強權鬥爭的戰士一個！
只是現在，現在根本就失掉了你殉難的地方，
你教我，——教我怎樣能夠抱着你那光榮的豔
　　屍去痛哭一場……

這惡耗是這樣的打痛着我底囘憶，
不過，我卻不願眞用眼淚作追悼你的獻禮。
你使我知道了這法西斯蒂底橫暴，惡毒：
我只有，只有努力，努力走上你所走的道路！
從此我要改正我這生活上的消沈，瘋癱，
不然是，——還不如跳進這火山口中，讓這無用
　　的身子完全燬化……

〔28〕

斷　章

〔第一〕

哦，我竟然遇到她了！
六年前的姿態完全未改，
兩頰上的紅暈依然還在。
只是那可愛的眉梢，
卻添了一層嫁後的愉快。

我從她底面前走過，
我底衣裳是滿罩着灰塵，
頭髮亂蓬蓬地壓到雙鬢。
我不理她，她不理我，
彼此都像不相識的路人。

哦　我竟然遇到她了！
她那一對水瀅瀅的兩眼，
像還留着我往日的容顏；

〔29〕

六年前誘我的微笑，
也像還有餘痕存在吻邊。

她依然是照舊，照舊：
沒有失去她活潑的精神，
也沒有失去那溫柔，嬌嫩。
只是卻改變了裝束：
再沒穿往日布質的衣裙。

〔第二〕

一

Ellen 姑娘喲，今夜我在這兒爲你心震，
你底名兒，我要藏在胸中，伴我終身。
因爲你曾使我流浪的生活有過停頓，
因爲你，你曾挽留過我一段靑春。

可惜我底靑春終覺是不能挽留，
枉費了你許多有用的工夫。

〔30〕

南國底濕風，帶來了晚秋的季候，
吹散了我底熱情，你底溫柔。

吹散了你底溫柔，我底熱情，
南國底濕風，是這樣的不幸，不幸！
黃葉鋪滿了你門前的小徑，
我也便隨着黃葉，殘敗，飄零……

黃葉被濕風向不知名的遠處掠吹，
我在你底門前也作了最後的低徊。
只是我失望眼中的酸辛淚水，
不能使，不能使過去的歡樂再囘！

二

Ellen姑娘喲，算來已經有很久的時光，
已經有很久沒有見你，沒有見你那豐嫩的臉龐！
那時，那時你把我看作主人一樣，
常爲我整理着我底書架，我底衣箱。
可是那時，那時我底心卻只對別個惆悵，

〔31〕

— 41 —

對你我卻不曾有過,有過一點癡想……

你,你曾把我病中的冷手煖溫;
你,你還坐在我底床頭給我聽診;
你,你曾低下頭兒,叫我看你那鬈曲的髮鬟,
並且說是,你生來就是那樣,就像西方底美人……
只是那時,那時我底心卻只在對別個訪問,
就白白地,白白地浪費了你底,你底光陰!

〔32〕

紀　念

哦，當到我靈魂清醒時，
我便想到了你，想到了你：
你底那由古代賢傳摘下的名兒
便在我胸中豎起了紀念的石碑。

我們不見已有快二十年的光陰，
這快二十年中我底墮落是最不堪問！
我對任何人不講起你底姓字，
可是你底容貌郤永遠保持在我心中深深。

有誰知道我底智識的來由
和我所以能有這些兒造就
都是出自一個沒有人過問的人，
一個病弱的，埋歿着的女流？
你那清瘦而韶秀的容顏，
我今生不知道能不能有緣再見？
可是你賜給我的貴重的恩惠，

〔33〕

我至死都要配帶在我底胸前。

我知道我們底思想已經是隔了幾個世紀，
我也知道你盼望我的熱情總是不滅往昔，
可是這個我們社會給與我們的矛盾，
沒有方法來使我們得一個安息！

珍重罷，至死縈我夢魂的可人！
珍重罷，我用眼淚追憶的女性！
我只有獻身鬥爭，終身孤獨，
以酬答你對我的希望，對我的熱情！

哦，當到我靈魂清醒時，
我便想到了你，想到了你：
你那由古代賢傳摘下的名兒，
在我胸中豎起了一個紀念的石碑。

〔34〕

我 伏 在 燈 下…

我伏在燈下，準備給你把信來寫，
當着這，當着這春天底深夜。
可是我纔把你底名兒輕輕地寫上，
我底心臟便在突然之間跳躍得是好像發狂⋯
唵唵，當着這溫柔的春夜，
怎麽我，我卻簡直是得了寒熱⋯

我伏在燈下，準備給你把信來寫，
當着這，當着這春天底深夜。
可是我把你底名兒剛來用心寫上，
我靜脈中的血液卽刻流動得是這樣的反常⋯
唵唵，當着這和暖的春夜，
怎麽我，我卻竟然是得了寒熱⋯

〔35〕

花　信

其一

妹妹喲，你寄給我白梅幾朵，
用粉紅的柔紙作成了包裹，
簡在了個水綠色的信封之中，
——啊，這是怎樣的在刺激着我底感覺！

妹妹喲，聽說古時的詩人，
尋梅如同尋他底所愛；
我也被人稱爲個詩人，
我底所愛卻把梅給我送來。

妹妹喲，梅花是象徵着你底丰神，
你是像梅花一樣的可人。
我眞想來把你寄我的這梅花吞下，
好使我底肺腑填滿你底象徵！

〔36〕

其二

昨日朋友拿來了碧桃一枝，
放在了案頭的瓶中，教我護持。
可是一夜後便紛紛地完全落謝，
當到我一個幽幽的春夢醒時。

我望着窗外碧海的晴天，
我底心神飛得遼遠，遼遠：
四方都現出了春意正濃，
卻怎麼我底案頭有了春殘？

我沒有心情作無謂的傷悼，
只用個信封來把這些花瓣裝好，
寄給那不在我面前的如花人兒，
希望她不要像這枝碧桃！

其三

今天你又把兩朵花裝在信內，

〔37〕

我接到時只怕牠們要被壓碎，

忙忙地打開了信封來看，

的確是已現出了十分憔悴。

這兩朶花是可愛的玫瑰，

又恰恰是一紅一白。

我想白的是代表你底心情，

紅的是代表你底顏色。

從前法國有個名叫龍沙的詩人，

咏玫瑰正如咏他底生命；

波斯又有個詩人薩狄，

把玫瑰用作他詩集底名稱。

玫瑰自古便受着詩人底愛寵，

牠被他們爭着寫入了詩中。

不過我雖然也在寫着詩歌，

我底情緒郤總有點和他們不同。

〔38〕

我是不作那些空閒的歡笑悲啼，
因爲那些啼笑對於我只是無謂，
今日我所以對這玫瑰表示熱情，
那因爲這玫瑰是你所寄。

我正在說這玫瑰是代表着你底整個，
那牠底憔悴也正如你病後的嬌弱，
可是牠底濃香的呼吸仍在撲人，
我把牠放在了我底口邊，——這便是接近了你
　　底脣角……

〔39〕

長　安

長相思，在長安！

（李白）

I

長安，長安，長安，長安！
我離開你已經有十八九年！
我對你的相思是有加無減，
你看，這相思就把我苦得這樣可憐！

長安，長安，長安，長安！
我離開你竟然有十八九年！
我所以這樣的對你熱戀，
因為，你是護持我幼年時代的搖籃！

長安，長安，長安，長安！
我離開你不覺就十八九年！
我儘管這樣暗自地把你呼喚，

〔40〕

原因是，只怕今生再沒有和你親近的機緣！

II

長安，我自從離開你去流浪，
我遊遍許多號稱名勝都城的地方，
可是沒有一處不使我發生着和你比較的聯想！

在開羅，那人類文明的發源之地，
斯芬克士在排着神祕的大隊，
著名的河流閃着那金色波光，
太陽下的金字塔掩護着古色，古香……
在雅典，天空泛着異樣的藍蔚，
海風在帶來無限醉人的憂鬱，
寺廟，殿堂，都依然表彰着聖代，
廢墟之中存留着光榮的殘骸…
在羅馬，同樣是覇業的舊都，
拉丁文化的遺影還映在蒂白河頭；
蒂白河繞着近代悲哀的沉默，
頹廢了的基督還在那兒維持着最後的王國……

〔41〕

在巴黎，那纔眞眞是表現了資本主義的末期，

美酒，女人，一切，一切，都使入沉迷；

那兒空氣中散滿着香料的奇藥，

那藥的作用便是要誘你去享樂⋯

在柏林，這卻又像是替換了另一時辰，

嚴肅的，驕傲的情調在烘染着萊茵：

那兒，充分地代表着現代底動的地面，

牠是，不斷地爆發着歷史的火山⋯⋯⋯⋯⋯⋯
⋯⋯⋯⋯⋯⋯⋯⋯⋯⋯⋯⋯⋯⋯⋯⋯⋯⋯⋯⋯⋯

哦，但是你，長安，你卻和這些情形完全不同，

你只是一所古城，沒有人過問，更沒有人對你熱
　　中。

你在東方已經是被人輕視得愈見衰老，

你在世界是名字更少有人注意，知道。

你底過去是永沒有人爲你去復興，發掘，

你底前史就這樣漸漸地陷於泯滅。

近代改變時間的洪潮更像是冲不到你底身上，

你沒有迷人的陽光，也沒有興奮人的陽光⋯

〔42〕

不過你，哦，長安，你卻有你底特色，為別個沒
　　有，
你底特色，就恰在那動人的陳舊，灰舊……
若果有一個知道你來歷的人在去把你訪問，
他一定會發現你底生命和你底靈魂。
你那鋪着已死的世紀底白石長街，
使人一踏上便好像是走入了特殊的世界。
喝道的天風和高爽的大陸空氣，
使人即刻明白那是歷代建都的土地。
一座簷牙高啄的鼓樓鎮壓在天空之下，
使人追想到前代底尊嚴，前代底偉大。
你一切都閃耀着悠久的，沉重的光芒，
使人會用整個的感覺，整個的心靈，到你黃金時
　　代中去徜徉！……

哦，並且最好是在那妖幻的深夜底時分，
你，長安，在入了你那沉默的寂靜，
那訪問你的客人，若去徘徊，留連，

〔43〕

在你那，你那雄大的鼓樓前面，

那他便會覺得他身旁是有着層層的奇夢，

他是，完全地便墮入在那些奇夢當中！

那鼓樓好像是一個高大得可怖的巨人，

伸出了四面的怪手在抓天邊飛跑的黑雲。

一個墳墓，一個怪境，一個神異的所在，

無限神祕的奇蹟都在那兒隱藏，都在那兒掩埋。

黑雲下冷靜的新月吐出古銅的淡光，

神祕的奇蹟便隱約地浮出在四方：

風吹動或大或小的朦朧暗影，

都是前代底，前代底不朽的幽靈。

風是奏起了一種惑人的聲音，在徐徐，徐徐，

那聲音，即刻便幻出了前代人類底動律。

那卻決然不是乾燥的聲音，荒涼，寂寞；

那是，那是現代失掉了的和諧的音樂。

那使人想到了聖代底"大韶""大武"；

那使人想到了"霓裳羽衣"的歌舞；

那使人想到了詩人們底高唱，低吟，

或是李白，或是杜甫，或是元稹⋯

〔44〕

啊，那是，是往日底光榮，是往日底興盛！

那是，是往日底溫柔，是往日底愛情！

那是往日底創造，往日底誇耀和往日底文化！

那是往日底信仰，往日底功勳和往日底榮華！……

哦，就那樣，你，長安，把你心臟的聲音用旋律去

　　奏送，

人會看見你是顫動，顫動，顫動到你全部都浮在

空中……………………………………………………

……………………………………………………………

哦，長安，你有你底特色，你確有你底特色，

你是那樣的會使人心中感到異常的悲哀和異常

　　的壓迫！

你所以現在衰老得和整個的中國一樣，

就因為，你年青時光，也是中國年青的時光！……

III

哦，長安，我把我流浪過的地方和你一一比較，

可是都沒有，沒有，沒有像你這樣能使我意遠神

〔45〕

滔！

啊，我祝你長在，長在，長在，

祝你快快地，恢復你底黃金時代！

我祝你，祝你不要，不要化爲沙漠，

祝你，祝你從新流開你那千條的運河！……

啊，雖然我不知道能不能和你再見，

但是，長安，你總是藏在我底胸中，會一直到我

底長眠！

IV

長安，

我底搖籃，

永遠葬我心腸的石棺！

〔46〕

春　愁

春雨淒淋在我窗前，
窗外透進了無限春寒。
　　這不可抵抗的春愁喲，
你好像使我又退囘去了幾年！

可是這滿天的春雨，
像壓着我傷春的過去。
　　我無限希望的未來喲，
快換去我這無用的春愁情緒！

〔47〕

再　　生

致 T.T.

其一

哦，我，我是再生了，再生了——
我自從和你見了一面，
你給我的情感是這樣的健全！
我在接受，接受着你底這種情感，
我好像也成了，革命的一員！

我在仰慕着你勇往的精神，
我在心服着你思想的堅定，
我崇拜你這鬥爭的特性，
我希望你來改造我底人生。

這是你，使熱淚到我底兩眼，
這是你，使我顫動了心尖；

〔48〕

我只把你底歷史略背一遍，
便立刻把我底心性感化完全。

我過去的人生，讓牠粉碎，
我一點也不留戀，也不惋惜，
我只願在你底面前長跪，長跪，
永遠地，永遠地吻着，你底光輝。

哦，我是再生了，再生了——
我自從和你見了一面，
你給我的情感是特別健全！
我是已經隨着你把一切改變，
從此，從此要努力去作革命的一員！

其二

你使得我再不能平靜了！
從前我只在妄想着安定，
可是如今卻決計要不停地前奔⋯

〔49〕

你使得我再不能平靜了！

從前我總是幻夢着和平，

可是現在一天一天地要和血戰接近……

你使得我再不能平靜了！

從前我是保持着享樂的心情，

可是如今要用苦鬥來終結我底生命……

你使得我再不能平靜了！

從前我對任何人都在周旋，慇懃，

可是現在，我要把往日的友人都當作敵人……

〔50〕

陽　春

唵,陽春嘀,你在向我招手,
但是,你到底於我何有?
我,我是完全失掉了自由,
沒有一些兒能活動的時候;
雖然我還不曾眞被人拘囚,
可是却已經成了一個囚徒;
我是幾乎不知道今天去了的白晝
到明天能不能再向我囘頭……
唵,陽春嘀,你就再來向我招手,
但是,你到底,你到底於我何有?

〔51〕

澳　門

一

我好像迷失了我自已底行逕，
任狂風把我吹到這港邊安身。
我放棄了我底健康，我底勇勁，
我放棄了我底眞實的姓名……

這已經有，已經有三年的時光，
我沒有像這樣的休息，徜徉，
這次被這意外的惡潮鼓蕩，
竟使我，負病到這兒來逃亡……

二

這條南灣邊面着海的長路，
留着我們最後的晚上。
所有的離愁壓向我底心頭，
你底紅衫兒只在繞着我的眼光。

〔52〕

我好久沒有這樣了，
我怎麼忽然變得是這樣傷感？
我好久沒有這樣了，
我好像又囘復到很早以前⋯⋯

雖然遠處底海水是十分黑暗，
但是灣頭的路燈卻還是光明。
所有的離愁都逼上我底心尖，
我在這燈下只看着你下垂的眼睛。

我好久沒有這樣了，
我怎麼忽然這樣的失了把握？
我好久沒有這樣了，
這大概因爲我病後精神的軟弱⋯⋯

三

總之我要趁我清醒，
趕緊向這兒告別一聲⋯⋯
〔53〕

原因是這兒只有賭博，

只有墮落，

而沒有鬥爭！

總之我要把心拿定，

趕緊向這兒告別一聲⋯

原因是這兒只有鴉片，

只有疎懶，

而沒有鬥爭！

總之我要毫不留情，

趕緊向這兒告別一聲⋯

原因是這兒只有女人，

只有荒淫，

而沒有鬥爭！

我覺得這兒底海水都嗚咽得是分外的難聽，

就像為這些帝國主義者底賞賜在哭個不停⋯

你們這些帝國主義者底賞賜啊，

〔54〕

你們這些帝國主義者底賞賜嗬，
　　總有一天
　　鬥爭會來把你們完全掃平！
　　雖然目前
　　這兒是沒有鬥爭，
　　　　　　沒有鬥爭！

〔55〕

夜間的黃浦灘⋯⋯

夜間的黃浦灘算是纔入了寂靜，
算是纔休息下了苦力底悲慘的哭聲⋯⋯
只有那些帝國主義的軍艦還在舶着不動，
牠們龐大的黑影就隔斷了，隔斷了矇矓——
　　　啊，壓住了水上的和平，
　　　　　簡直壓住了水上的和平！

夜間的黃浦灘算是纔入了寂靜，
算是纔安歇下了苦力底動人的哭聲⋯⋯
只有夜市底著了色的電光匯成了一片奇夢，
把水面映得，映得像血一樣的通紅——
　　　啊，未來上海的象徵，
　　　　　眞是未來上海的徵徵！

【56】

$.25